POUR UNE BIBLIOTHÈQUE IDÉALE

W9-AHP-151

Jacques Brosse

Cocteau

Gallimard

Je dérangerai après ma mort.
Journal d'un inconnu.

Les travaux et les jours

5 juillet.

A l'aube, naissance de Clément Eugène Jean Maurice
Cocteau, à Maisons-Laffitte, sa famille l'appellera Jean.
Son père, Georges Cocteau, quarante-sept ans, quelque
temps avocat, est rentier et descend d'une famille
bourgeoise du Havre — il est fils de notaire. Sa mère,
Eugénie Lecomte, trente-trois ans, provient d'une
famille parisienne d'agents de change — son propre
père et son frère Maurice. Jean est le troisième et dernier
enfant du ménage, il a une sœur, Marthe, de douze ans
son aînée, un frère de huit ans, Paul. L'enfant vit avec
ses parents dans la famille de ses grands-parents pater-
nels, en été dans la propriété de Maisons-Laffitte, le
reste du temps dans un hôtel particulier, 45, rue La
Bruyère. Le grand-père Lecomte collectionne les œuvres
d'art et, exécutant amateur, réunit chez lui des musiciens. Jean est confié à une bonne allemande, Jéphine.
Gâté par les siens, il est très sensible, très nerveux, de
caractère difficile.

Vers six ans, il découvre avec émerveillement le
cirque, puis le théâtre.

1898

Il a neuf ans, lorsque son père se suicide pour des
raisons restées mystérieuses, dix quand meurt sa grand-
mère Lecomte. Son grand-père l'emmène au concert.

1900

Octobre.

Jean entre en sixième au petit Condorcet, où il sera un élève distrait et médiocre. Avec ses camarades, il fréquente la Cité Monthiers, qui jouera un rôle important dans son œuvre (*Les Enfants terribles, Le Sang d'un poète, Opium*).

C'est à Condorcet que Jean recevra comme un coup au cœur — la boule de neige des *Enfants terribles* — la révélation brutale de la beauté, en la personne d'un de ses camarades.

1902

A treize ans, Jean Cocteau entre en quatrième au grand Condorcet. Sur la demande du proviseur, il sera retiré du lycée à Pâques 1904.

1904

Au cours des deux années suivantes, Jean continue tant bien que mal ses études avec des professeurs à domicile, et suit les cours de l'école Fénelon pour la seconde et la première.

1906

Avril.

Mort du grand-père Lecomte. Avec deux camarades, Jean qui n'a que dix-sept ans, loue une loge à l'Eldorado et fréquente Mistinguett. Il s'éprend d'une jeune artiste de ce théâtre, Jeanne Reynette.

Juillet.

Jean Cocteau est recalé au baccalauréat. Sa mère le confie à un professeur du lycée Buffon, Hermann Dietz qui prend des pensionnaires pour l'été, dans sa maison en Bretagne.

Octobre.

Jean est pensionnaire chez M. Dietz à Paris, rue Claude-Bernard (il a raconté poétiquement ce séjour dans *Le Grand Écart*). Il y participe à la rédaction d'une revue de fin d'année, *Sisowath en ballade*, où on reconnaît déjà au passage la verve caustique des *Mariés de la tour Eiffel*.

1907

Mme Cocteau quitte l'hôtel particulier de la rue La Bruyère devenu trop vaste et va habiter un grand appartement au 62 de l'actuelle avenue Raymond-Poincaré. Mais elle conserve son train de vie, a des domestiques, reçoit. Marthe se marie, Paul devient agent de change. A sa sortie de pension, Jean vivra désormais seul avec sa mère.

Juillet.

Nouvel échec au baccalauréat. Jean passe l'été chez M. Dietz, mais est recalé encore en octobre et cette fois renonce définitivement.

1908

Jeune dandy, Jean Cocteau commence à fréquenter le « monde », où il est introduit par sa mère. Il fait la connaissance de Lucien Daudet et de Reynaldo Hahn.

4 avril.

Le comédien Édouard de Max organise une matinée où Laurent Tailhade présente « les poésies d'un tout jeune poète de dix-huit ans, Jean Cocteau ». C'est aussitôt le succès. Accaparé par les femmes du monde, les poètes en vue, les comédiens, le jeune homme se plaît dans ce milieu et jouit de ses triomphes. Il y fréquente Catulle Mendès, les Daudet, les Rostand, la comtesse de Noailles, Proust (v. *Portraits-Souvenirs*).

Automne.

Jean s'installe dans un logement donnant sur les jardins de l'hôtel Biron, où il reçoit ses amis.

1909

Jean Cocteau publie son premier livre, un recueil de poèmes, *La Lampe d'Aladin*.

Liaison avec une jeune actrice, Madeleine Carlier — c'est cette aventure féminine qu'il raconte, transposée, dans *Le Grand Écart*. Il la présente comme sa fiancée. Mme Cocteau s'interpose, et récupère son fils qui doit abandonner sa chambre à l'hôtel Biron.

Mai.

Les premières représentations des Ballets russes de Serge de Diaghilev sont un triomphe parisien. Jean est présenté à Diaghilev.

Novembre.

Sortie du premier numéro de la revue de luxe *Schéhérazade* que dirigent Jean Cocteau et Maurice Rostand.

1910

Jean fréquente assidûment Anna de Noailles, se lie avec Jacques-Émile Blanche, Sacha Guitry, François Mauriac.

Il publie un second recueil de vers, *Le Prince frivole*.

Jean et sa mère viennent habiter au cinquième étage, 10 rue d'Anjou, l'appartement qui demeurera désormais leur domicile fixe, mais que Jean peu à peu désertera, sa mère l'habitera ensuite seule jusqu'à la guerre de 1939.

1911

Cherchant à connaître toutes les personnalités susceptibles de l'intéresser sur le plan mondain, comme sur celui de la littérature et des arts, Cocteau rencontre l'impératrice Eugénie et Robert de Montesquiou, Péguy et Gide.

Diaghilev, après avoir lancé à Jean, lequel se plaignait de n'être pas reconnu par lui à sa juste valeur, le fameux : « Étonne-moi », qui servira au poète d'aiguillon, consent enfin à lui confier la rédaction d'un scénario de ballet, *Le Dieu bleu*, qui sera mis en musique par Reynaldo Hahn ; aux Ballets russes, J. C. fait la connaissance d'Igor Stravinski qui n'a que sept ans de plus que lui, mais *L'Oiseau de feu* et *Petrouchka* l'ont déjà rendu célèbre.

1912

Mars-avril.
Voyage en Algérie avec Lucien Daudet.

3 mai.
Première du *Dieu bleu*, dansé par Nijinski. C'est un échec. Publication au Mercure de France d'un nouveau recueil de poèmes, *La Danse de Sophocle*. Henri Ghéon dans la *N. R. F.* reproche à l'auteur son excès d'élégance et sa futilité.

1913

Printemps.
La création par les Ballets russes du *Sacre du printemps* de Stravinski révolte le public qui l'avait d'abord suivi. C'est pour Cocteau une leçon : « Ce que le public te reproche, cultive-le, c'est toi. » Il projette de réaliser un ballet avec Stravinski, et, durant l'été, commence d'écrire, sous forme de notes et de dessins, une œuvre sans rapport avec les précédentes, manifeste d'un style nouveau, *Le Potomak*. Il le termine au cours de l'automne à Leysin, auprès de Stravinski.

1914

Lors de la déclaration de guerre, Jean Cocteau est réformé. Son amie Misia Edwards organise un convoi d'ambulances dont il fait partie. Il est à Reims pendant les bombardements (il décrira cette équipée dans *Thomas l'imposteur*).

Septembre.
Deux visites à Maurice Barrès qui le déçoit (v. *Visites à Maurice Barrès*).

Novembre.
Présenté à l'aviateur Roland Garros, J. C. reçoit le baptême de l'air (v. *Le Cap de Bonne-Espérance*).

28 novembre.

Premier numéro du journal de luxe, *Le Mot*, fondé par Jean Cocteau et Paul Iribe.

Décembre.

Étienne de Beaumont crée la « Section d'ambulances aux armées ». Jean y est volontaire (v. *Thomas*).

1915

Jean rencontre Raoul de Castelnau qui deviendra *Thomas l'imposteur*. De retour à Paris, il fréquente à Montparnasse peintres, écrivains et musiciens, et se lie particulièrement avec Max Jacob, Apollinaire, Picasso, Erik Satie.

Fin de l'année.

Nouveau départ pour le front. Séjour auprès des fusiliers marins à Nieuport (v. *Discours du grand sommeil*).

1916

Mai.

En permission à Paris, Cocteau projette de faire un ballet avec Satie et Picasso, ce sera *Parade*.

Juin-juillet.

Jean Cocteau quitte Nieuport et se fait définitivement réformer.

1917

Mars.

Picasso et Cocteau vont rejoindre Diaghilev à Rome pour mettre au point *Parade* dont la musique est achevée et dont Massine établit la chorégraphie. Stravinski rejoint le groupe.

18 mai.

Première de *Parade* aux Ballets russes, scandale.

Fin de l'été.

Premier séjour au Piquey sur le bassin d'Arcachon, où Cocteau reviendra souvent.

1918

15 janvier.
Première manifestation du « Groupe des Six » (Milhaud, Poulenc, Auric, Honegger, G. Tailleferre, L. Durey), organisée par Cocteau.

Printemps.
Blaise Cendrars et Cocteau fondent les Éditions de la Sirène.

Été.
Au Piquey, mise au point du *Coq et l'Arlequin*, manifeste de la jeune musique, de la jeune peinture et de la jeune poésie qui paraît à la fin de l'année et le brouille avec Stravinski.

1919

Mars.
Sortie du premier numéro de *Littérature*, rapports difficiles de Jean avec le groupe Dada, amitié de Picabia, mais antipathie de Breton. De même, malgré ses avances, Cocteau est mal vu par le groupe de la N. R. F.

31 mars.
Paris-Midi commence la publication des *Carte blanche*, où Cocteau exalte l'art nouveau sous toutes ses formes.
Premières rencontres avec Raymond Radiguet, quinze ans, présenté par Max Jacob. Cocteau et Radiguet deviennent inséparables.

Publications en 1919 : *Le Potomak ; Ode à Picasso ; Le Cap de Bonne-Espérance.*

1920

21 février.
Création à la Comédie des Champs-Élysées du *Bœuf sur le toit* sur une musique de Darius Milhaud. Le spectacle sera repris en juin au Coliseum de Londres.
Jean commence avec Radiguet *Les Mariés de la tour Eiffel.*

Publications en 1920 : *Poésies* (*1917-1920*), qui contient le *Discours du grand sommeil* ; *Escales*, avec des dessins d'André Lhote ; *Carte blanche* (les articles publiés dans *Paris-Midi*).

1921

Mars.

Séjour avec Radiguet à Carqueiranne sur la Côte.

Mai.

Spectacle de théâtre bouffe, monté par Pierre Bertin, avec *Le Gendarme incompris* de Cocteau et Radiguet, musique de Poulenc.

18 juin.

Première des *Mariés de la tour Eiffel* par les Ballets suédois, troublée par les Dadaïstes.

Été.

Au Piquey, Radiguet oblige Cocteau à une retraite laborieuse ; pendant que l'un écrit *Le Diable au corps*, l'autre définit sa nouvelle esthétique, retour au classicisme, dans *Le Secret professionnel*.

Automne.

J. C. commence ses adaptations d'*Antigone* et d'*Œdipe roi* de Sophocle.

Publications en 1921 : *La Noce massacrée ; Souvenirs I ; Visites à Maurice Barrès*, dédié à Radiguet.

1922

Janvier.

Ouverture du *Bœuf sur le toit*, bar, rue Boissy-d'Anglas, qu'anime Jean Cocteau.

Mai-novembre.

Cocteau et Radiguet s'installent au Lavandou, puis à Pramousquier, au Cap Nègre, où les rejoindront durant l'été Jean et Valentine Hugo, Georges Auric et Pierre de Lacretelle ; Radiguet corrige les épreuves du *Diable au corps* et commence *Le Bal du comte d'Orgel*. Cocteau

écrit ses premières œuvres romanesques : *Le Grand
Écart* et *Thomas l'imposteur*, et commence *Plain-Chant*.
   Violentes attaques des Dadaïstes contre J. C., Radi-
guet et Max Jacob.

Novembre.
   Visite à Proust mort.

20 décembre.
   Répétition générale d'*Antigone*, chahut surréaliste.

   Publications en 1922 : *Vocabulaire ; Le Secret professionnel.*

   1923
   Publication du *Diable au corps* qui connaît aussitôt
le succès.

Mai.
   J. C. invité à faire une communication au Collège de
France, y prononce *D'un ordre considéré comme une
anarchie*, où il exalte le génie de Radiguet.

Juillet-octobre.
   J. C. et Radiguet sont au Piquey.

Octobre.
   Sortie à huit jours d'intervalle du *Grand Écart* et
de *Thomas l'imposteur.*

12 décembre.
   Mort de Raymond Radiguet, atteint par la typhoïde
et miné par les excès.

   Publications en 1923 : *Le Grand Écart ; Thomas
l'imposteur ; Plain-Chant ; La Rose de François.*

   1924
Janvier.
   Désespéré, Jean est emmené par des amis sur la côte,
où il commence à s'adonner systématiquement à l'opium :
il semble qu'il l'ait pratiqué déjà depuis longtemps,
mais incidemment.

2 juin.

Première de *Roméo et Juliette*, où J. C. est très applaudi dans le rôle de Mercutio.

Juillet.

Rendant visite à Picasso, Cocteau a la révélation du nom de l'ange qui le hante, il commence alors la lente élaboration de *L'Ange Heurtebise*. Le même mois, présenté par Auric à Jacques et Raïssa Maritain, J. C. fait d'eux, provisoirement, ses guides spirituels. Il fait aussi la connaissance probablement vers cette époque de Maurice Sachs, qui le volera, de Jean Bourgoint et de sa sœur Jeanne qui deviendront *Les Enfants terribles*.

Publications en 1924 : *Poésie (1916-1923)* contenant : *Le Cap de Bonne-Espérance*, *Ode à Picasso*, *Poésies*, *Vocabulaire*, *Plain-Chant*, *Discours du grand sommeil*.

1925

Vent de conversion, Cocteau fait baptiser Maurice Sachs et Jean Bourgoint.

Mars.

Poussé par les Maritain, Cocteau entre pour une cure de désintoxication à la clinique des Thermes urbains. Il y compose les premiers poèmes d'*Opéra*.

Très long séjour à l'hôtel Welcome à Villefranche. Jean y retrouve nombre d'amis, Georges Hugnet lui présente le jeune peintre Christian Bérard. Mais J. C. travaille énormément : plusieurs poèmes d'*Opéra*, adaptation d'*Œdipe roi* de Sophocle, *Œdipus rex* avec Stravinski, la pièce *Orphée*. Il commence aussi à fabriquer des objets insolites où s'expriment sa mythologie personnelle, ses obsessions.

Octobre.

A Villefranche, J. C. écrit la *Lettre à Jacques Maritain*.

Publications en 1925 : *L'Ange Heurtebise* ; *Cri écrit* ; *Prière mutilée*.

1926

Janvier.

Publication de la *Réponse à Jean Cocteau* de J. Maritain ; c'est une lettre de rupture.

Pendant toute l'année, J. C. demeure à Villefranche et ne vient à Paris que pour de courts entractes.

A propos d'une exposition de Chirico, renié par les Surréalistes, il prend sa défense dans *Le Mystère laïc*, publié en 1928.

15 juin.

Première d'*Orphée*, monté par les Pitoëff.

Rencontre de Jean Desbordes qui deviendra pour J. C. un second Radiguet.

Publications en 1926 : *Lettre à Jacques Maritain ; Le Rappel à l'ordre.*

1927

30 mai.

Première d'*Œdipus rex*, traduit en latin par le P. Daniélou, dirigé par Stravinski.

4-17 juin.

Reprise d'*Orphée* par les Pitoëff, J. C. y joue le rôle d'Heurtebise.

Été.

Départ pour la Côte avec Jean Desbordes, mise au point de *J'adore* de Jean Desbordes

Sortie d'*Opéra*.

Noël.

Séjour à Chablis avec Jean Desbordes. J. C. y écrit *Le Livre blanc*, publié sans nom d'auteur en 1928, et peut-être *La Voix humaine*.

Publication en 1927 : *Opéra. Œuvres poétiques (1925-1927).*

1928
Juin.

Sortie de *J'adore* de Jean Desbordes. J. C. fait campagne pour le succès du livre.

J. C. n'habite plus rue d'Anjou, mais dans des logements de fortune : chambres d'hôtel, appartements prêtés par des amis.

Décembre.

Nouvelle cure de désintoxication à Saint-Cloud. J. C. y tient un journal accompagné de dessins qui deviendra *Opium* et sera publié en 1930. Il y écrit aussi en dix-sept jours *Les Enfants terribles.*

Publications en 1928 : *Le Livre blanc; Le Mystère laïc; Œdipe roi* avec *Roméo et Juliette.*

1929
Mars.

J. C. quitte la clinique de Saint-Cloud.

19 mars.

Lecture de *La Voix humaine* à la Comédie-Française. Enregistrement sur disque par J. C. lui-même de poèmes d'*Opéra.*

Mai.

J. C. et Jean Desbordes sont à l'hôtel Welcome à Villefranche, puis à Roquebrune.

Été.

Publication des *Enfants terribles,* accueil enthousiaste par le public et la critique.

Préparation de *La Voix humaine* à la Comédie-Française, Bérard y réalise son premier décor de théâtre.

Publications en 1929 : *Les Enfants terribles; Une entrevue sur la critique avec Maurice Rouzaud; 25 Dessins d'un dormeur.*

1930
15 février.

« Répétition intime » de *La Voix humaine* au Français ; scandale dans la salle provoqué par Paul Éluard.

Avril-septembre.

Tournage de son premier film *Le Sang d'un poète*, commandité par le vicomte Charles de Noailles.

4 juin.

Création par l'Orchestre symphonique de Paris de *Cantate*, texte de J. C., musique d'Igor Markévitch.

Été.

J. C. est à Toulon avec Desbordes et Bérard et fréquente Édouard et Denise Bourdet. Il achève *Des Beaux-Arts considérés comme un assassinat*, publié en 1932 dans *Essai de critique indirecte*.

Publications en 1930 : *Opium, Journal d'une désintoxication*, dédié à Jean Desbordes ; *La Voix humaine*.

1931

Été.

J. C. est à Toulon avec Desbordes et Bérard. Fièvre typhoïde, il est soigné par les Bourdet.

J. C. s'installe rue Vignon.

1932

20 janvier.

Présentation du *Sang d'un poète* au cours d'une soirée de gala.

J. C. commence *La Mort du Sphinx* qui deviendra *La Machine infernale*.

Liaison avec Natalie Paley.

Mi-juillet.

Séjour à Saint-Mandrier, près de Toulon, avec J. Desbordes. J. C. y continue *La Machine infernale* qu'il lit acte après acte aux Bourdet, et termine en septembre.

Fin de l'année.

Louis Jouvet décide de monter la pièce.

Publications en 1932 : *Essai de critique indirecte; Morceaux choisis*, poèmes.

1933

Début de l'année.

J. C. se lie avec Marcel Khill qu'il fera jouer dans *La Machine infernale*. Il pense déjà à une autre pièce, ce sera *Les Chevaliers de la Table Ronde*.

Novembre.

Publication dans la N. R. F. du *Fantôme de Marseille*.

Décembre.

Jean Desbordes quitte J. C. lequel fait une nouvelle cure de désintoxication.

1934

10 avril.

Répétition générale de *La Machine infernale* à la Comédie des Champs-Élysées.

J. C. quitte la rue Vignon pour le Madeleine-Palace Hôtel.

Septembre-décembre.

Séjour chez Igor Markévitch près de Vevey. J. C. y termine la première version des *Chevaliers de la Table Ronde*.

Fin de l'année.

Il se lie avec Louise de Vilmorin.

Publications en 1934 : *La Machine infernale ; Mythologie*, avec dix lithographies de Chirico.

1935

19 janvier-11 mai.

Publication dans les pages littéraires du *Figaro* du samedi de *Portraits-Souvenirs*.

Avril-septembre.

Séjour avec Marcel Khill chez les Vilmorin, près d'Antibes, puis à l'hôtel Welcome à Villefranche.

A Paris, J. C. habite déormais l'hôtel de Castille, rue Cambon.

Fin de l'année.
Séjour au Mas de Fourques chez Jean Hugo. Jean Prouvost, directeur de *Paris-Soir*, charge J. C. de réaliser la fiction inventée par Jules Verne dans *Le Tour du monde en 80 jours.*

Publications en 1935 : *Portraits-Souvenirs, 1900-1914 ; 60 Dessins pour Les Enfants terribles.*

1936

29 mars.
J. C. et M. Khill partent pour le tour du monde en quatre-vingts jours. Escales à Rome, Athènes, Le Caire, Bombay, Rangoon, Singapour. Le 11 mai, J. C. rencontre en mer Charlie Chaplin et se lie avec lui d'une étroite amitié. Les voyageurs passent ensuite par Tokyo, Honolulu, San Francisco, Hollywood, New York. Ils sont de retour à Paris le 17 juin.

1er août - 2 septembre.
Paris-Soir publie le reportage, qui paraîtra en volume sous le titre *Mon premier voyage* en février 1937.

Septembre-octobre.
Nouveau séjour au Mas de Fourques.

1937

Mars.
J. C. donne dans *Ce Soir* dirigé par Aragon des *Articles de Paris* (v. *Le Foyer des artistes*), la publication s'en échelonnera jusqu'en juin 1938.
J. C. décide de faire remonter sur le ring l'ancien boxeur noir Al Brown. Peu après, il rencontre un jeune comédien, Jean Marais.

Septembre.
Nouveaux débuts d'Al Brown.

14 octobre.
Première des *Chevaliers de la Table Ronde* au théâtre de l'Œuvre. Jean Marais y joue le rôle principal, celui

de Galaad. Triomphe de Marais, mais la pièce est froidement accueillie. La rencontre de Marais et d'Yvonne de Bray détermine J. C. à écrire une pièce pour eux deux, ce sera *Les Parents terribles*. Il la compose en huit jours à Montargis.

Publications en 1937 : *Les Chevaliers de la Table Ronde ; Mon premier voyage — Tour du monde en 80 jours.*

1938

4 mars.

Combat victorieux d'Al Brown qui prend enfin sa revanche sur son ancien adversaire, et redevient champion du monde.

Alice Cocéa accepte *Les Parents terribles.*

J. C. s'installe 9 place de la Madeleine.

14 novembre.

Première des *Parents terribles* au théâtre des Ambassadeurs, elle y est interdite par le Conseil municipal de Paris, et reprise aussitôt aux Bouffes-Parisiens : énorme succès public, malgré les réticences de la presse.

Publication en 1938 : *Les Parents terribles.*

1939

Mars.

Jean Cocteau emmène Jean Marais malade au Piquey. Il y écrit *La Fin du Potomak* et esquisse une nouvelle pièce, *La Machine à écrire.* Il s'installe ensuite à Versailles pour y travailler.

Septembre.

A la déclaration de guerre, J. C. part pour Saint-Tropez, Marais est mobilisé. De retour à Paris, J. C. y écrit *Les Monstres sacrés.*

1940

17 février.

Première des *Monstres sacrés* au théâtre Michel. La pièce passe ensuite aux Bouffes-Parisiens avec, en lever de rideau, *Le Bel Indifférent*, écrit pour Edith Piaf.

J. C. s'installe 36 rue de Montpensier, au Palais-Royal, en face de l'appartement de Colette. La rue de Montpensier restera son domicile parisien jusqu'à sa mort.

Juin.

J. C. part pour l'exode et s'installe à Perpignan où le retrouve Jean Marais démobilisé. Mort de Marcel Khill.

Septembre.

Retour à Paris. Nouvelle et dernière cure de désintoxication.

Publications en 1940 : *La Fin du Potomak ; Les Monstres sacrés*.

1941

29 avril.

Création de *La Machine à écrire* au théâtre des Arts, dirigé par Jacques Hébertot. J. C. est violemment attaqué par la presse collaboratrice.

Pour J. Marais qui entre au Français, il écrit une pièce en vers, *Renaud et Armide*, qu'il termine le 27 août.

4 octobre.

Comœdia commence à faire paraître en articles *Le Foyer des artistes*.

Fin octobre.

Reprise des *Parents terribles* au Gymnase. Attaquée par la presse, la pièce est interdite, puis l'interdiction est levée.

Publications en 1941 : *Allégories*, poèmes ; *La Machine à écrire* ; *Dessins en marge des Chevaliers de la Table Ronde*.

1942

J. C. découvre Jean Genet et témoigne pour lui en

justice. *Comœdia* publie *Salut à Breker*, le sculpteur allemand, ce qui sera plus tard reproché à Cocteau.

J. C. tient un rôle dans le film de Serge de Poligny *Le Baron fantôme*.

1943

Janvier.

L'Opéra monte l'*Antigone* de J. C., musique d'Arthur Honegger.

20 janvier.

Mort de Mme Cocteau.

28 avril.

Création à la Comédie-Française de *Renaud et Armide*, décors et costumes de Christian Bérard.

Tournage et montage de *L'Éternel Retour*, film de J. C. et Jean Delannoy, grâce auquel J. C. touche enfin le très grand public.

Automne.

En Bretagne, J. C. a l'idée d'une nouvelle pièce qui deviendra *L'Aigle à deux têtes*, et poursuit la rédaction de *Léone*, un de ses poèmes majeurs, commencé deux ans auparavant.

Publications en 1943 : *Renaud et Armide ; Le Mythe du Greco.*

1944

24 février.

Max Jacob est envoyé en déportation. J. C. lance un manifeste et obtient sa libération, celle-ci arrive trop tard, Max Jacob est mort.

5 juillet.

Arrestation et mort de Jean Desbordes.

Août.

Libération de Paris. Jean Marais s'engage dans la 2e D. B.

1945

J. C. se lie avec Duff Cooper, ambassadeur d'Angleterre et sa femme Lady Diana.

Août-décembre.

Tournage de *La Belle et la Bête*, le premier film entièrement réalisé par lui depuis *Le Sang d'un poète*, avec Jean Marais, décors et costumes de Christian Bérard. J. C. tient alors son Journal, qui fait suite à celui qu'il a tenu durant l'occupation et qui paraîtra en 1946 sous le titre *La Belle et la Bête. Journal d'un film.* Il a pendant le tournage une grave maladie de peau qui le fait beaucoup souffrir. Il écrit alors son chef-d'œuvre poétique, *La Crucifixion.*

Publications en 1945 : *Léone ; Portrait de Mounet-Sully.*

1946

Février.

Reprise des *Parents terribles* au Gymnase.

Fin février.

A Morzine, en convalescence, J. C. commence *La Difficulté d'être.*

Sur les nappes du restaurant Le Catalan, J. C. et Georges Hugnet composent en vers alternés *La Nappe du Catalan*, qui sera publiée en 1952.

25 juin.

Création au théâtre des Champs-Élysées du *Jeune Homme et la Mort*, ballet de Cocteau, avec Jean Babilée.

J. C. passe l'été à Verrières chez les Vilmorin, il rêve désormais de vivre à la campagne.

Juillet.

Sortie à Paris de *La Belle et la Bête*, excellent accueil du public et de la critique.

Octobre-novembre.

Création de *L'Aigle à deux têtes* avec Edwige Feuillère et Jean Marais à Bruxelles, à Lyon, puis à Paris.

Fin décembre.

La Belle et la Bête reçoit le prix Louis-Delluc.

Publications en 1946 : *La Belle et la Bête. Journal d'un film; L'Aigle à deux têtes; La Crucifixion.* Les éditions Marguerat à Lausanne commencent la publication des *Œuvres complètes.* Elle se poursuivra jusqu'en 1951, mais restera inachevée en 11 volumes.

1947

Début de l'année.

J. C. et J. Marais achètent la Maison du Bailli à Milly-la-Forêt, qui deviendra le point fixe de J. C. C'est là qu'il mourra.

Mai.

Tournages de *La Voix humaine* par Roberto Rossellini avec Anna Magnani — et de *Ruy Blas,* adapté par J. C.

Juillet.

On présente à J. C. un jeune mineur qui fait de la peinture, il s'appelle Édouard Dermit. J. C. l'embauche à Milly comme aide-jardinier, il deviendra plus tard son fils adoptif.

Octobre.

A Vizille, tournage de *L'Aigle à deux têtes.*

Fin de l'année.

J. C. écrit le scénario du film *Orphée.*

Publications en 1947 : *Le Foyer des artistes ; La Difficulté d'être.*

1948

Février.

Sortie du film *Ruy Blas* à Paris.

Juin.

Sortie du film *L'Aigle à deux têtes.* Tournage du film *Les Parents terribles.*

Septembre.

Sortie du film *L'Aigle à deux têtes* à Paris. J. C. exécute son premier carton de tapisserie : *Judith et Holopherne.*

Novembre.

Sortie des *Parents terribles.*

Publications en 1948 : *Poèmes : Léone, Allégories, La Crucifixion, Neiges, Un ami dort, Drôle de ménage,* ill. par l'auteur ; *Reines de la France,* ill. par Christian Bérard.

1949

Janvier.

J. C. va présenter le film *L'Aigle à deux têtes* à New York. Dans l'avion du retour, il commence la *Lettre aux Américains.*

1er février.

Mort de Christian Bérard.

6 mars, 24 mai.

J. C. accompagne la tournée théâtrale qui jouera *Les Parents terribles, La Machine infernale, Les Monstres sacrés, Britannicus, Huis-Clos* et *Léocadia,* avec Jean Marais, Yvonne de Bray, Gabrielle Dorziat, au Caire, à Alexandrie, à Beyrouth, Istanbul et Ankara. J. C. se fera le mémorialiste de ce voyage dans *Maalesh.*

Août.

J. C. organise le « Festival du Film maudit » à Biarritz.

Août-novembre.

Tournage du film *Orphée.* J. C. est fait chevalier de la Légion d'honneur.

Décembre.

Jean-Pierre Melville commence avec J. C. le film *Les Enfants terribles.* J. C. fait la connaissance d'Alec et Francine Weisweiller.

Publications en 1949 : *Lettre aux Américains ; Maalesh ; Théâtre de poche.*

1950

1ᵉʳ mars.

Projection à Cannes d'*Orphée*, qui obtient le Prix international de la critique à Venise, et sort à l'automne à Paris.

Pâques.

Sortie du film *Les Enfants terribles* à Paris.

14 juin.

Création à l'Opéra de Paris de *Phèdre*, ballet de J. C., musique de Georges Auric. J. C. et Édouard Dermit passent l'été chez Francine Weisweiller à la villa Santo-Sospir à Saint-Jean-Cap-Ferrat. J. C. commence la décoration des murs de la villa, et achève un livre sur *Jean Marais*.

1951

Fin janvier.

Enregistrement de 14 Entretiens à la Radio avec André Fraigneau.

Février.

Mort d'André Gide.

Avril.

J. C. accepte la présidence du Syndicat des Auteurs et Compositeurs. Voyage avec Francine Weisweiller et E. Dermit à Rome, en Calabre et en Sicile.

Été.

A Santo-Sospir qu'il continue de décorer, J. C. fait un film sur la villa, et écrit en quelques jours une pièce, *Bacchus*. Visites à Picasso. J. C. fait de nombreux dessins aux crayons de couleur et des pastels, qui sont exposés à Nice.

J. C. commence la rédaction d'un Journal qu'il tiendra jour après jour jusqu'à sa mort : *Le Passé défini*.

20 décembre.

Première de *Bacchus* au théâtre Marigny dirigé par

Jean-Louis Barrault et Madeleine Renaud. François Mauriac y fait un scandale.

29 décembre.
Dans *Le Figaro littéraire*, Mauriac publie une *Lettre ouverte à Jean Cocteau*, où il l'accuse de blasphème. Cocteau riposte dans *France-Soir*. Cette polémique attriste J. C. qui se détournera désormais du théâtre, où il ne fera qu'une brève réapparition en 1962.

Publications en 1951 : *Entretiens autour du cinématographe*, avec André Fraigneau ; *Jean Marais.*

1952

18 janvier.
Première exposition de l'ensemble de l'œuvre peint et dessiné de J. C. à Munich.

Février.
A la villa Santo-Sospir, J. C. termine le *Journal d'un inconnu.*

14 mai.
Représentation au théâtre des Champs-Élysées d'*Œdipus rex*, oratorio composé de tableaux vivants, que J. C. a réalisé, ainsi que les masques, et dirigé par Stravinski. Vive réaction du public, nouveau scandale.

12-27 juin.
Voyage en Grèce avec Francine Weisweiller et E. Dermit.

Été.
A Santo-Sospir, J. C. rédige un long poème, *Le Chiffre sept*, achève un oratorio, l'*Apocalypse*, et commence *Appogiatures.*

Octobre.
Bacchus triomphe à Düsseldorf. J. C. commence un nouveau ballet, *La Dame à la licorne.*

Publications en 1952 : *Le Chiffre sept; Journal d'un inconnu; La Nappe du Catalan; Bacchus.*

1953

9 mai.

Création de *La Dame à la licorne* à Munich. J. C.
préside le Festival international du Cinéma à Cannes.

Été.

A Santo-Sospir, il termine *Appogiatures*, continue
à rédiger les poèmes qui formeront *Clair-Obscur*. Premier voyage en Espagne, J. C. se passionne pour la
tauromachie, et assiste dans le Midi avec Picasso à des
courses de taureaux.

Publications en 1953 : *Appogiatures; Der Lebensweg
eines Dichters* (Démarche d'un poète) à Munich.

1954

Février.

A Kitzbühel (Autriche), J. C. écrit les derniers poèmes
de *Clair-Obscur*.

1er mai.

A Séville, il assiste à une corrida, y prend des notes
pour un futur ouvrage, *La Corrida du 1er mai*.

10 juin.

Premier infarctus du myocarde. Convalescence à
Santo-Sospir, il y peint.

3 août.

Mort de Colette.

Publications en 1954 : *Clair-Obscur; Poésies 1946-
1947*.

1955

10 janvier.

J. C. qui en 1949 a refusé d'être élu à l'Académie
Goncourt, remplace Colette à l'Académie royale de
langue et de littérature françaises de Belgique.

3 mars.

Il est élu à l'Académie française.

1ᵉʳ octobre.
Réception à l'Académie belge ; il y prononce l'éloge de Colette.

20 octobre.
Réception à l'Académie française ; réponse d'André Maurois.

Publications en 1955 : *Colette*, discours de réception à Bruxelles ; *Réception de M. Jean Cocteau à l'Académie française et Réponse de M. André Maurois.*

1956

Février.
Séjour à Saint-Moritz.

Mars.
Reprise de *La Machine à écrire* à Bruxelles, puis à Paris.

Printemps.
J. C. commence la décoration de la chapelle Saint-Pierre à Villefranche.

12 juin.
Il est nommé docteur *honoris causa* de l'Université d'Oxford et y prononce un discours, *La Poésie ou l'invisibilité.*

Été.
Décoration de la chapelle de Villefranche. Parallèlement, J. C. ébauche la décoration qui lui a été demandée pour la salle des mariages de la mairie de Menton, et s'initie à la lithographie et à la poterie.

Publications en 1956 : *Discours d'Oxford ; Poèmes 1916-1955.*

1957

Mars.
J. C. est nommé membre honoraire du National Institute of Arts and Letters de New York.

Été.

Élaboration des proses et poésies qui formeront les *Paraprosodies précédées de 7 dialogues.* J. C. fait ses débuts de potier.

3 août.

Consécration de la chapelle Saint-Pierre de Villefranche.

Publications en 1957 : *La Corrida du 1ᵉʳ mai* ; *Entretiens sur le Musée de Dresde,* avec Aragon ; *Théâtre* (2 volumes) illustré par l'auteur.

1958

Janvier.

Mort de sa sœur Marthe. J. C. commence à penser à son dernier film, *Le Testament d'Orphée.*

Juillet.

Voyage à Vienne pour la représentation d'*Œdipus rex* ; à Venise, où il s'initie au travail du verre à Murano.

Septembre.

Il prononce à l'Exposition internationale de Bruxelles le *Discours sur la poésie* et *Les Armes secrètes de la France.*

Novembre.

Première exposition de ses poteries à Paris.

Publications en 1958 : *Paraprosodies précédées de 7 dialogues.*

1959

Janvier.

Au cours d'une répétition de *La Voix humaine,* avec une musique de Francis Poulenc, J. C. a une hémoptysie. Il est condamné au repos immobile, il écrit alors son testament poétique, *Le Requiem.*

28 janvier.

Première à l'Opéra de *La Dame à la licorne* — et le *6 février* de *La Voix humaine* à l'Opéra-Comique.

Mars.
Séjour de convalescence à Saint-Moritz.

Mai-juin.
Établissement des maquettes pour la décoration de la chapelle de la Vierge à Notre-Dame-de-France à Londres.
Et pour un théâtre en plein air pour le Centre d'Études méditerranéennes au Cap-d'Ail que J. C. ornera de mosaïques.

Juillet.
A Milly, il décore la chapelle Saint-Blaise-des-Simples.

7 septembre.
Commencement du tournage du *Testament d'Orphée*, à Nice, à Villefranche et à la villa Santo-Sospir ; J. C. y joue son propre rôle.

Novembre.
A Londres, J. C. interprète le rôle du chœur dans *Œdipus rex*, dirigé par Stravinski, et peint la décoration de la chapelle de la Vierge à Notre-Dame-de-France.

Publications en 1959 : *Poésie critique I ; Gondole des morts*, poème.

1960

10 février.
Sortie du *Testament d'Orphée* à Paris.

23 avril.
Inauguration de la chapelle Saint-Blaise-des-Simples à Milly.

6 mai.
Inauguration de la chapelle de la Vierge à Notre-Dame-de-France, à Londres.

Octobre.
Séjour en Espagne, où il commence le *Cérémonial espagnol du Phénix*.

2

Novembre-décembre.

Exposition à Nancy de l'ensemble de l'œuvre graphique et peint.

Publications en 1960 : *Poésie critique II. Monologues; Nouveau théâtre de poche.*

1961

Printemps.

Séjour à Marbella (Espagne). Il y peint quatre panneaux à la Casa Ana. J. C. est nommé commandeur de la Légion d'honneur.

Juillet-octobre.

Nouveau séjour à Marbella. Il y écrit *Le Cordon ombilical.*

Décembre.

Mort de son frère Paul. A Milly, J. C. écrit *L'Impromptu du Palais-Royal.*

Publications en 1961 : *Cérémonial espagnol du Phénix*, suivi de *La Partie d'échecs.*

1962

Janvier.

Reprise de *La Voix humaine* à la Comédie-Française.

1er mai.

Création de *L'Impromptu du Palais-Royal* par la Comédie-Française à Tokyo.

Juin.

Inauguration d'un panneau exécuté par J. C. à la mairie de Saint-Jean-Cap-Ferrat.

Sollicité de toutes parts, J. C. accepte toutes les besognes ; cartons de vitraux pour Saint-Maximin de Metz, théâtre du-Cap d'Ail, mosaïque en galets pour le Bastion de Menton, destiné à devenir un musée Jean Cocteau, chapelle du Saint-Sépulcre à Fréjus, décors et costumes pour la reprise de *Pelléas et Mélisande.*

Publications en 1962 : *Le Cordon ombilical; Le Requiem; L'Impromptu du Palais-Royal; Picasso 1916-1961.*

1963

30 janvier.
Mort de Francis Poulenc.

Mars.
A Santo-Sospir, J. C. compose *La Comtesse de Noailles oui et non.*

Avril.
A Milly, enregistrement de *Portrait-Souvenir,* émission télévisée de Roger Stéphane et Roland Darbois, consacrée à J. C.

22 avril.
Nouvelle crise cardiaque.

5 juillet.
Retour à Milly, où il meurt le 11 octobre.

Publication en 1963 : *La Comtesse de Noailles oui et non.*

L'œuvre

CHAPITRE PREMIER

LES VIES PARALLÈLES

*Les parallèles ne se rencontrent
qu'à l'infini.*

« Je me demande comment les gens peuvent écrire
la vie des poètes, puisque les poètes eux-mêmes ne
pourraient écrire leur propre vie. Il y a trop de mystères,
trop de vrais mensonges, trop d'enchevêtrement. » Ce
dont parle ici Jean Cocteau [1], c'est évidemment de sa
propre vie, où lui-même s'égarait. Lorsqu'il lui est
arrivé de tenter malgré tout d'évoquer sa jeunesse, par
exemple dans *Portraits-Souvenirs* (1935) il dut préli-
minairement convenir : « D'abord j'embrouille les
époques. Il m'arrive de sauter dix ans et de mettre des
personnages dans des décors qui appartiennent à d'autres. La mémoire est une nuit terrible et confuse. » En
1956, dans le *Discours d'Oxford*, se présentant aux
étudiants de cette université, il esquisse une brève autobiographie où il retrace ses véritables débuts en compagnie de ceux qu'il considérait comme ses maîtres, Stravinski, Picasso et Satie, mais brusquement il s'arrête
là, et n'y revient plus : « De la seconde où je décidai de
rompre avec mes fautes, où j'écrivis mon livre *Le Potomak*, je me trouvais emporté dans un tel tourbillon de
lieux, de noms, de dates, d'hôtels où je campais et dont
je ne parvenais jamais à payer les notes, d'amitiés, de
disputes, d'enthousiasmes, de détresses, de dangers, de

1. Dans *Opium*, en 1930.

maladies et de deuils, dans une telle tourmente dramatique, dans un tel cyclone de vents contraires, de nau-
frages, d'îles heureuses et d'îles désertes, que le récit,
du reste impossible, en paraîtrait aussi invraisemblable
que celui d'Énée à Didon dans *L'Énéide*. Il décourage-
rait le biographe. »

Ne retenons pour le moment que cet avertissement
répété : l'écheveau que constitue la vie du poète est
indémêlable. Le lecteur, s'il a parcouru le résumé biographique sur lequel s'ouvre le présent volume, en
conviendra, je pense, volontiers : trop d'œuvres, de
visages, d'événements, d'endroits et qui s'enchevêtrent.
Une sorte de synthèse simplificatrice, qui soulignera les
lignes principales, semble nécessaire.

Sans doute, la véritable vie du poète, c'est son œuvre,
cette œuvre qui, selon Cocteau lui-même, le pousse et
brûle de prendre sa place, cette œuvre qu'à la fin il est
devenu, et qui remplit le vide qu'il laisse sur la terre.
Et peu d'œuvres qui soient à ce point autobiographiques,
comme si chaque fois le poète s'engendrait, et se débarras-
sait de lui-même. De telle sorte qu'une recension chronologique d'événements, comme celle que nous avons
ébauchée, est à la fois révélatrice — dans la mesure où
s'y esquissent des genèses — et trompeuse, puisqu'elle
ne peut mentionner que des circonstances. Mais entre
celles-ci, ce concours de circonstances et les œuvres
subsiste une profonde solution de continuité que le
poète a, lui seul et de toute nécessité, franchi, presque
toujours sans savoir comment.

Puisqu'il s'agit ici de faire connaître Jean Cocteau,
de tenter de le faire comprendre, l'obligation s'impose
d'essayer par une démarche inverse, sinon de combler ce
vide, du moins de jeter d'une rive à l'autre quelques
passerelles, au moins provisoires.

Auparavant, il convient de compléter les citations
précédentes par leur contexte. Après avoir écrit, dans
Portraits-Souvenirs : « La mémoire est une nuit terrible
et confuse », Cocteau ajoute : « Je craindrai à m'y aven-

turer d'encourir la punition des archéologues violant les sépultures d'Égypte. Les tombes se vengent. Il existe un sommeil qui refuse la lumière sacrilège et qui jette des maléfices. » De même, dans *Le Discours d'Oxford*, ceci : « Mieux vaut ne pas se retourner trop en arrière, ne jeter qu'un rapide coup d'œil sans respect des dates. Sinon, je risquerais d'être changé en statue de sel, c'est-à-dire en statue de larmes. »

Expliquer cette attitude par le détachement — réel d'ailleurs — de Cocteau qui, jusqu'au dernier jour, vécut au présent — « ma grande affaire est de vivre une actualité qui m'est propre » — et tourna toujours son regard vers l'avenir, celui-ci fût-il sa propre mort, serait insuffisant, ainsi qu'en témoignent les mots qu'il emploie : « une nuit terrible et confuse », « une statue de larmes ». Sans doute s'agit-il ici de la crainte de retrouver ses deuils, de raviver les blessures profondes qu'ils lui ont faites, mais surtout, par-delà les événements, de plus encore : le souvenir n'est pour lui que le rappel de la série d'épreuves qu'il eut à traverser, alors que le présent est le résultat de ces épreuves. « Il serait imbécile de perdre de vue le rythme de mon destin : aucune chance. Lutte et lutte. Obtenir par un effort perpétuel ce qui semble le plus simple. S'attendre à l'obstacle sous toutes ses formes. L'admettre, le sauter — si haut soit-il [1]. » En fait cela remonte très loin, à une certaine « difficulté d'être », laquelle « date de toujours ». Toujours Cocteau a été « mal dans sa peau » : « J'ai de naissance une cargaison mal arrimée. Je n'ai jamais été d'aplomb. »

*

Cette disposition est-elle vraiment originelle, est-elle vraiment « de naissance » ? Ne faut-il pas plutôt en chercher la cause dans l'enfance ? Pourtant celle de

---

1. Dans *La Belle et la Bête. Journal d'un film* (1946).

Cocteau est en apparence une enfance heureuse, mais peut-être justement trop favorisée, trop préservée, trop facile, une enfance telle qu'on la regrette, plus ou moins consciemment, toute sa vie. Une famille aisée, unie, où les loisirs, l'amour des arts tiennent une grande place. Un enfant aimé, et par tous, parce qu'il est « le petit dernier » ; un enfant nerveux, fragile, à qui on passe tous ses caprices. Et soudain le drame, la mort du père, son suicide. Jean a neuf ans, il comprend, il comprend ce qu'on ne lui dit pas, ce qu'il ne pourrait d'ailleurs exprimer, ce sur quoi plus tard il gardera toujours le silence.

Le voilà désormais seul — son frère, sa sœur sont des adultes : vingt et un et dix-sept ans —, seul avec sa mère, sa mère qui l'aime trop. Or sa mère se sépare de lui, l'envoie au collège. Comment n'y serait-il pas un élève médiocre, distrait ? Sa pensée est ailleurs. Survient alors Dargelos, le lointain, le distant, Dargelos [1], auréolé de tous les prestiges, et « le coup de poing de marbre » par quoi se manifeste en cette « âme délicate » la révélation du « sexe surnaturel de la beauté ». Jean a, semble-t-il, onze ou douze ans, âge auquel, dira-t-il dans *Le Potomak*, il a cessé de voir les jours en couleur.

Révélation d'un manque, d'un vide qu'il cherchera toute sa vie à combler, et, bien sûr, en vain, d'une malformation, d'un mal qui le ne quittera plus. L'amour-possession, l'amour égoïste qui équilibre et qui rassure n'est pas fait pour lui, il est voué à cet amour-identification, qui fait reporter sur autrui non ce qu'on lui doit, mais ce qu'on se doit à soi-même, amour qui vous vide, vous exténue, vous ruine, vous fait vous haïr, source de tous les malentendus, de toutes les vexations possibles, puisqu'on ne peut demander à l'autre que ce qu'il ne peut donner, amour sans issue et véritablement absurde, véritablement démoniaque, puisque non seu-

---

1. On a voulu à tout prix identifier Dargelos. C'était peine perdue. Le nommé Dargelos a bien existé, mais ce n'était pas lui, et il est probable qu'il n'y a pas eu qu'un seul Dargelos. Au reste, Cocteau s'est lui-même nettement expliqué là-dessus.

lement autrui ne peut rien pour vous, mais qu'on ne peut rien pour soi-même.

S'il en est ainsi, c'est bien évidemment parce que l'amour-possession est pour lui frappé d'interdit, car il s'adresse à la mère, non seulement primitivement, ce qui est normal, mais actuellement, ce qui advient quand la situation œdipienne n'a pas en temps voulu trouvé sa solution.

L'amour-possession dans sa brutalité est simple. Il y faut un sujet, l'homme, un objet, la femme, que l'homme s'identifie à son propre père et qu'il retrouve dans la femme l'image de sa mère, mais une mère non interdite, une mère susceptible de devenir, ce que ne peut en aucun cas être la mère véritable, objet.

Jean Cocteau a bien tenté de rompre cet interdit, et très tôt. Il avait dix-sept ans. Il le raconte dans *Le Grand Écart* [1]. Mais si ses relations avec sa maîtresse satisfirent, comme il l'y expose, son narcissisme viril, il semble néanmoins que ce fut là le seul aspect bénéfique de cette liaison. Car en fin de compte, le héros, blessé, se réfugie auprès de sa mère, habite « en ménage » avec elle. Et cet échec premier devait naturellement entraîner les autres qui ne pouvaient plus en être que les répétitions.

Il est d'ailleurs fort explicable. Cette tentative survenait sans doute trop tôt. Jean n'était pas encore suffisamment détaché de sa mère et reportait intégralement l'énorme — et disproportionné — investissement affectif qui s'était adressé jusqu'alors à elle sur une maî-

---

1. Biographiquement, l'aventure ainsi transposée correspond à deux épisodes distincts : à dix-sept ans, encore collégien, Jean a une brève intrigue avec une artiste de music-hall, Jeanne Reynette ; à vingt ans, il s'éprend d'une jeune actrice, comme Jeanne Reynette plus âgée que lui, Madeleine Carlier. Il en parle dans sa famille comme de sa fiancée. Mme Cocteau s'interpose. De plus, Jean se croit trahi par la jeune femme. Mais toujours il parlera d'elle comme d'une femme qu'il a profondément aimée. En conjoignant les deux épisodes dans *Le Grand Écart*, il esquive ce qui probablement le gêne, la découverte par sa mère de sa liaison avec Madeleine.

tresse de rencontre qui n'en avait que faire. Ce qui
n'aurait dû être qu'une passade, celle qui fait d'un
adolescent sexuellement un homme et ne mobilise
d'ordinaire qu'une très petite partie de son affectivité,
fut une passion. Et une passion qui, du fait des circonstances et de la personnalité de la jeune femme, ne pouvait engendrer que déception. Mais cette déception,
on pourrait dire que Jean au fond de lui-même la souhai-
tait, puisque d'une part il trompait sa mère et que
d'autre part il entendait se démontrer à lui-même
qu'aimer sa mère était chose impossible. La confusion
dont elle résultait, était inconsciemment voulue.

Dans *Le Grand Écart* — œuvre infiniment plus confidentielle que ne l'ont cru les critiques, et que ne l'a
avoué Jean Cocteau lui-même, qui craignait au fond
qu'on ne l'y reconnaisse trop bien —, Cocteau insiste
sur cette identification abusive. Lorsque Jacques Forestier, s'étant empoisonné, se sent mourir, il voit sa mère
absente : « Sa mère changeait de figure. C'était Germaine.
C'était Germaine ou sa mère. Puis Germaine seule qu'il
avait un mal atroce à se rappeler. Il confondait sa bouche
et ses yeux avec les yeux et la bouche d'une Anglaise,
une des bêtes de son désir, entrevue au Casino de Lucerne. » C'est donc avec l'image de sa mère, l'image
ravalée de sa mère, devenue « bête de son désir » — c'est-
à-dire femme anonyme, aux amours anonymes, et qui
donc ne peut que le trahir, que Jacques Forestier a fait
l'amour. Sa culpabilité est donc double, l'acte doublement sacrilège, puisqu'il est non seulement incestueux,
mais avilissant. Et ce qui aurait dû guérir Jacques
Forestier, inévitablement le tue.

S'il en est arrivé là, c'est qu'il y a eu quelque part,
antérieurement, bien antérieurement, mauvais aiguil-
lage. Le narrateur du *Grand Écart* le signale au passage :
« Jacques avait onze ans... Tout à coup, pendant la
halte devant la cage d'ascenseur, l'ascenseur descend,
dépose un couple. Un jeune homme et une jeune fille,
aux figures sombres, aux yeux constellés, riant et décou-

vrant des mâchoires superbes. » (Les mâchoires si caractéristiques des innombrables portraits de l'Ange que
dessinera plus tard Cocteau.) « Une fois dans sa chambre
qui ouvre sur un mur de glace, Jacques se regarde. Il se
compare au couple. Il voudrait mourir. » Et le romancier
aussitôt ajoute : « Dans la suite, il connut les jeunes
gens. Tigrane d'Ybreo, fils d'un Arménien du Caire,
collectionnait les timbres et confectionnait d'écœurantes
sucreries sur une lampe à essence. Sa sœur Idgi portait
des robes neuves et des souliers éculés. Ils dansaient
ensemble. » Le prototype des *Enfants terribles* remonte
donc à l'enfance de Jean Cocteau. Onze ans, c'est ap-
proximativement — un peu avant, un peu après —
l'âge de la rencontre avec Dargelos. Et déjà cette hantise,
cette malformation antérieures à tous ces événements,
à tout événement peut-être : « Depuis l'enfance, il ressentait le désir d'être ceux qu'il trouvait beaux et non de
s'en faire aimer. » Et, toujours dans *Le Grand Écart*,
Jacques Forestier vivant sa mort retrouve encore une
image, la dernière. Aussitôt après avoir vu l'Anglaise
de Lucerne, « bête de son désir » : « Le tout fut englouti
par un edelweiss. Il contemplait à la loupe cette petite
étoile de mer en velours blanc qui pousse sur les Alpes.
Il avait neuf ans. On manqua le train de Genève parce
qu'il trépignait, qu'il voulait qu'on lui en achetât un. »
L'edelweiss, le symbole de la pureté presque inaccessible,
puisqu'il faut l'aller cueillir en haute montagne, sur des
rochers abrupts au bord de précipices, mais de la pureté
sensuelle, puisque duveteuse. Il avait neuf ans, c'était
l'année de la mort de son père.

Restons-en là pour le moment, après avoir jeté un
coup d'œil à l'entrée de ce labyrinthe que Cocteau par-
courait avec angoisse et délice sachant qu'il n'en pourrait jamais trouver la sortie, à moins que, tel le créateur
qu'il dépeint dans *Des Beaux-Arts considérés comme un
assassinat* (Essai de critique indirecte), il ne parvienne
à percer dans le mur de sa prison une ouverture vers un
autre monde. « De onze à dix-huit ans, il se consuma

comme le papier d'Arménie qui brûle vite et ne sent pas bon [1]. »

*

A dix-huit ans, Jean Cocteau vit en effet désormais seul avec sa mère ; son frère, sa sœur mariés se sont éloignés. Et Mme Cocteau veille sur lui avec un soin excessif et jaloux. Il débute alors dans le monde qui n'accueille que trop bien celui qui se donne le nom de « petit prince en exil ». Il vole de succès en succès. Et s'en voudra toute sa vie.

A vingt ans, il rencontre Diaghilev, lequel lui lance le terrible : « Étonne-moi! », à vingt-deux Stravinski, qui, l'année suivante, ose déplaire au public. Commence alors une crise, véritable métamorphose d'où sort le poète tenant en main sa première œuvre — il a renié les autres —, textes et dessins mêlés, *Le Potomak*. C'est la première d'une série de mues conçues comme telles, dont la dernière sera sa mort. De cette crise provoquée par ses rapports avec des hommes capables enfin de jouer auprès de lui le rôle d'incitateurs et de guides, de père et de grand frère — quelques années plus tard Picasso et Satie rempliront le même emploi —, sont consignés les signes annonciateurs d'une part dans *Le Potomak*. Et c'est une phrase à lui adressée par le mathématicien Henri Poincaré « quelques jours avant sa mort » (1912) : « Votre jeunesse et la poésie sont deux privilèges. Le hasard d'une rime sort parfois un système de l'ombre, et la gaieté attrape le mystère au vol », phrase clef que Cocteau reprendra sous diverses formes dans toute son œuvre, et qui, plus tard, justifiera rétrospectivement les extrapolations scientifiques du *Journal d'un inconnu*. L'autre signe prophétique est de beaucoup antérieur. C'est un incident dont Cocteau, qui le rapporte dans *Le Grand Écart*, ne donne pas la date, mais

1. *Le Grand Écart*.

dont nous pouvons supputer qu'il remonte à son adolescence : au retour d'un voyage en Suisse avec sa mère,
dans le train de nuit, Jean absorbe par erreur « au lieu
de poudre de pavot, une petite boîte de cocaïne »,
c'est-à-dire une dose mortelle. « Vous ne connaîtrez
jamais mieux la mort », lui dit le docteur qui le soigne.
C'est là, il y en aura par la suite bien d'autres, sa première expérience consciente de la mort, mais ne serait-ce
pas aussi autre chose ? Un simulacre inconscient de
suicide ? L'adolescent jouant alors auprès de sa mère
le rôle du père. Et par conséquent un acte d'amour.
Le seul autorisé. La mort à deux étant pour lui la forme
la plus haute de l'amour [1].

* * *

La mort, Jean l'approche de nouveau au cours de la
guerre. Selon lui — peu importe qu'il y ait eu de sa part
déformation plus ou moins involontaire, plus ou moins
légendaire, puisque ce dont nous parlons, c'est de sa
vie telle qu'il la vécut, par complémentarité et parfois
en opposition avec cette biographie d'état civil que nous
avons fait figurer au début de ce livre —, il lui échappe
miraculeusement le 22 juin 1915, alors qu'on l'arrache
à ses camarades, les fusiliers marins de Nieuport — et
du *Discours du grand sommeil* —, lesquels, affirme-t-il,
périrent tous dans un assaut le lendemain de son départ.
Quoi qu'il en soit, ce 22 juin — « la journée de l'année la
plus longue » (et des ténèbres la nuit la plus courte),
est le jour de la naissance de l'Ange.

Qui est cet Ange, lequel, indiquera Cocteau dans le
Journal d'un inconnu, « ne présente... aucun rapport avec
une certaine imagerie religieuse » ? Pas seulement un
leitmotiv qui se précisera d'œuvre en œuvre, où sa place
ne cessera de croître, ni même le garant de ces communi-
cations que le poète recevra et transcrira du mieux qu'il

---

1. Ainsi qu'il l'e xprimera dans *L'Aigle à deux têtes.*

pourra, mais un véritable personnage, une entité concrète
aux multiples incarnations, et en même temps, le double
du poète, sa part d'ombre, son Inconscient.

A nous en tenir aux données strictement biographiques et au *Discours du grand sommeil*, l'Ange est à la
fois l'être qui se manifeste le 22 juin 1915 et, l'entraînant
à sa suite, le préserve de la mort, et le dédicataire du
Discours, ce jeune soldat, son ami, Jean Le Roy, mort
à la guerre le 26 avril 1918, en qui il faut reconnaître
celui qui vient de mourir et rend *Visite*[1] au poète, comme
si cette jeune victime lui avait été substituée dans l'ho-
locauste.

Tout cela demeure assez vague et passablement contradictoire, sauf si l'on admet le système très particulier de penser de Jean Cocteau, que nous aurons à
exposer et à étudier par la suite. Pour le moment,
contentons-nous d'essayer d'approcher du mystère
— sinon, précisons-le nettement, de le dissiper —, au
moyen de l'analyse psychologique.

Nous avons plus haut souligné que, victime d'une
sorte de malformation, malheureusement fort répandue,
Jean Cocteau se ressentait comme inapte à l'amour de
possession, alors qu'il succombait au vertige et aux
tortures de l'amour d'identification. La crise de 1913,
rapportée dans *Le Potomak*, avait abouti à une sorte
de dédoublement de personnalité : un nouvel être,
encore inconnu, s'était révélé, quelqu'un qui dormait
en lui s'y était réveillé. C'est ce quelqu'un dont les
démarches suivantes précisent les contours, la nature,
qui est d'un ange. Mais cet autre, avant de le trouver
en lui-même, ou dans ce double qu'il commence à y
découvrir, c'est en autrui qu'il le recherche. Autrui,
l'autrui aimé, est donc cette part invisible de lui-même,
dont il sent la présence sans le voir, en autrui manifestée,
évidente, matérialisée, incarnée. Narcisse incapable
de s'aimer soi-même — il déteste « sa propre beauté. Il la

1. Dans le poème du *Discours du grand sommeil* qui porte ce titre.

trouve laide [1] », et il en va de même de son esprit, de
son caractère —, il a besoin de l'autre qui est son image
au miroir mais une image magnifiée, l'image de ce qu'il
voudrait être et a conscience de n'être pas. Narcisse
amoureux de son semblable, pour n'être pas amoureux
de lui-même. Mais l'autrui qu'il aime n'étant qu'une
projection de lui-même, s'ensuivent nécessairement
déconvenues et amertumes, dans la mesure où il ne
coïncide nullement avec cette projection, et ne peut
accepter de se laisser enfermer dans ce rôle. D'ailleurs,
s'il était en son pouvoir de le faire, Jean très certainement se détacherait de lui, puisqu'il a besoin *aussi* de sa
différence. Or l'Ange constitue la sublimation de ces
deux courants finalement convergents : celui qui oblige
Cocteau à reconnaître l'existence en lui d'un autre et
à se reconnaître en lui, celui qui le pousse à rechercher
cet autre chez autrui. L'Ange est la réussite paradoxale
de cet échec, ce qu'est d'ailleurs toute sublimation.

Ce malentendu, c'est de la vie qu'il naît, la mort le
dissipe. Le jeune mort de *Visite*, parce qu'il est passé
de l'autre côté, comprend ce qu'il n'avait pu comprendre
dans la vie, et reconnaît la justesse de ce dont il se dou-
tait : « Mais, du reste, ce que je te raconte n'est-il pas un
simple reflet de ce que tu penses ?... Ce qui t'étonne,
c'est que je parle comme tes livres, que je sache si bien
ce qu'ils contiennent. J'étais de ceux qui doutent... Je
te demande pardon. C'est pour te demander pardon que
j'ai fait l'étrange effort d'apparaître. » Le malentendu
provenait de ce qu'ils étaient quatre : deux fois (un
homme + un ange), et que ceux qui s'aimaient étaient
les deux anges, gênés, empêtrés dans ces deux hommes
qui les contenaient. Derrière l'homme, Jean devinait
l'ange et tentait de faire reconnaître à l'homme son
existence, afin qu'il devienne pareil à lui, qu'il possède
la même double nature, mais c'est à l'homme qu'il
s'adressait. La mort pour lui délivre l'ange prisonnier.

1. *Le Grand Écart.*

C'est donc par-delà la mort que cette union qui, dans la vie, n'a été que contrefaçon, devient réelle.

Chercher l'ange parmi les humains, c'est évidemment s'exposer aux pires désillusions, aux inévitables calomnies. C'est aussi d'une certaine manière se duper soi-même, colorer à ses propres yeux une attirance sensuelle par de nobles reflets. Et cependant, on ne peut soupçonner la sincérité de Cocteau. Ces jeunes hommes qu'il a aimés portaient tous quelque marque qui les distinguait de leurs semblables et que l'avenir étrangement confirma, puisque la plupart d'entre eux moururent en pleine jeunesse.

*

Pour Jean Cocteau, en 1916 la guerre est terminée. Conscient de ce que *Le Potomak* annonçait un style nouveau, c'est ce style désormais qu'il va se consacrer à faire triompher. Extraordinairement réceptif aux courants encore invisibles qui parcourent son époque et vont l'animer, il réunit autour de lui tous ceux qui déjà le captent et en nourrissent leurs œuvres, soit qu'il les amène à collaborer avec lui pour les Ballets russes comme Érik Satie et Picasso, avec qui il entreprend *Parade*, soit qu'il devienne leur parrain, en créant le « Groupe des Six » — cinq d'entre eux écriront la musique des *Mariés de la tour Eiffel*. Il s'improvise leur manager et leur hérault, fonde avec Blaise Cendrars les Éditions de la Sirène, publie *Le Coq et l'Arlequin* qui veut être le manifeste de cette jeune école de musiciens, de peintres et d'écrivains et dans le journal *Paris-Midi* s'en fait le chroniqueur.

*

C'est au cours de cette quête fiévreuse de talents nouveaux que Cocteau rencontre un jeune prodige, Raymond Radiguet. Il n'a pas encore seize ans, mais déjà le sérieux désabusé, l'autorité d'un homme expérimenté, tout ce qui justement manque à Cocteau. Et l'homme de trente ans devient le disciple de celui qui n'a que la moitié de son âge. Mieux il le proclame et porte aux nues le jeune homme, qui en profitera pour lui mener la vie dure. Fort heureusement, ils ont bien des choses en commun et en premier lieu le travail. Tout d'abord, Radiguet collabore aux *Mariés de la tour Eiffel*. Puis Cocteau fait travailler Radiguet et Radiguet fait travailler Cocteau, chacun à sa propre œuvre : en deux étés au Piquey sur le bassin d'Arcachon en 1921, sur la Côte d'Azur en 1922, naissent parallèlement et coup sur coup *Le Diable au corps* et *Le Bal du comte d'Orgel, Le Secret professionnel, Le Grand Écart, Thomas l'imposteur* et *Plain-Chant*.

Jean Cocteau a certainement surestimé l'influence que Radiguet a exercée sur lui, en particulier sur son évolution littéraire. Il y a moins de discontinuité qu'il ne le prétendait entre les œuvres avant et les œuvres après. Sans doute Radiguet l'a-t-il ramené de force vers les classiques, sans doute l'a-t-il débarrassé de ce qui aurait pu devenir chez lui style, tics d'écriture, mais les idées exposées dans *Le Secret professionnel* sont bien de Cocteau, et de Cocteau seul. Et après *Plain-Chant* il y aura *Opéra*. Plus que cause d'une évolution, Radiguet en fut l'occasion, peut-être même seulement le prétexte. Son action a surtout consisté à détourner Cocteau du monde parisien dont il ne pouvait se dépêtrer et où il usait ses forces, en l'obligeant à les consacrer à son œuvre. Inversement, Cocteau a minimisé son propre rôle. On sait, par exemple, qu'il a revu et corrigé le manuscrit du *Diable au corps* et qu'il est pour beaucoup dans l'élaboration du *Bal du comte d'Orgel*. Sur un autre plan, il a organisé et orchestré le succès du *Diable au corps*, ce qu'il n'a jamais daigné faire pour lui-même, et n'a manqué aucune occasion d'exalter le génie de Radiguet, partout, même au Collège de France [1]. En s'abais-

---

1. *D'un ordre considéré comme une anarchie.*

sant, il l'élève. Parce qu'en lui il a découvert l'Ange.
Sans doute, celui-ci a-t-il connu déjà plusieurs incarnations, en connaîtra-t-il après surtout beaucoup d'autres,
mais Raymond Radiguet est l'Ange lui-même. Peut-
être parce que c'est le premier des anges-fils et qu'avec
lui et par lui, Jean Cocteau parvient à la résolution
d'un certain nœud affectif, trouve une certaine solution
— jouer vis-à-vis d'autrui le rôle que son père, mort
trop tôt, n'a pu remplir vis-à-vis de lui-même, devenir
en somme son propre père — qui s'avère être, sinon la
bonne, du moins la moins mauvaise.

Du vivant même de Radiguet, il s'en explique publi-
quement dans *Le Secret professionnel*, en y donnant au
passage et sans en avoir l'air ce curieux et bien significatif portrait du poète, qui est un peu lui-même, mais
beaucoup Radiguet : « Désintéressement, égoïsme,
tendre pitié, cruauté, souffrance des contacts, pureté
dans la débauche, mélange d'un goût violent pour les
plaisirs de la terre et mépris pour eux, amoralité naïve,
ne vous y trompez pas : voilà les signes de ce que nous
nommons l'angélisme... » Et comment ne pas voir dans
les textes qui entourent cette citation, des allusions
indirectes et peut-être involontaires au caractère de
Radiguet, à ce que durent être leurs rapports : « Ange et
angle... sont synonymes en hébreu » — qui annoncent
la brutalité anguleuse de *L'Ange Heurtebise* —, et :
« Jusqu'à nouvel ordre, Arthur Rimbaud reste le type
de l'ange sur terre. » Assurément Cocteau a pris Radiguet pour Rimbaud, fort heureusement il ne s'est pas
pris lui-même pour ce Verlaine, qu'il traitait fort drô-
lement de « femme à barbe », même s'il lui est arrivé
d'en jouer parfois presque le rôle. En somme, si Cocteau
a sublimé le personnage et leurs rapports, c'est à son
corps défendant et parce qu'il n'en pouvait être autrement.

Mais Radiguet lui échappe. Avec cette hâte de ceux
qui se devinent promis à une mort précoce, il se dépense
sans compter. Miné par les excès, il meurt à vingt ans.

Cette mort ne surprend pas Cocteau, elle le terrasse.
L'apprenant, il tombe évanoui.

*

La mort de Radiguet entraîne une nouvelle crise, une
nouvelle mue. Avant que la carapace ne se reforme,
Jean Cocteau est devenu si vulnérable qu'il recourt
systématiquement à l'opium — il le connaît certainement déjà et depuis longtemps, mais, semble-t-il, n'en
a usé jusqu'alors qu'avec prudence. « Je préférais, écrira-
t-il dans *Opium*, un équilibre artificiel à pas d'équilibre
du tout. » Suit une période longue, douloureuse, confuse.
Une première étape en est franchie au cours de l'été
1924, lorsque Cocteau rencontre Jacques et Raïssa Maritain. Avec eux, avec le catholicisme, il lui semble
retrouver une famille, ce dont à ce moment précis il a
besoin. Naturellement croyant, naturellement chrétien,
il se sent tout d'abord à l'aise dans ce milieu enthousiaste et consolant. Mais une famille, c'est ce qu'on doit
un jour quitter. Il s'en apercevra très vite. Pour le
moment, il se confesse, il communie, mieux, il renonce
à la drogue et accepte de se soumettre à une très pénible cure de désintoxication en mars-avril 1925.
Entre-temps et parallèlement, lui a été révélé dans
des circonstances qu'il expose dans *Opium* le nom de
l'Ange, Heurtebise. Ce nom le hante, le persécute, veut
être prononcé, écrit. Dans *De la naissance d'un poème
(Journal d'un inconnu)*, il précisera : « Imaginez une
parthénogenèse, un couple formé d'un seul corps et qui
accouche. Enfin, après une nuit, où je pensais au suicide,
l'expulsion eut lieu, rue d'Anjou. Elle dura sept jours
où le sans-gêne du personnage dépassait toutes les
bornes, car il me forçait d'écrire à contrecœur.
... « Le septième jour (il était sept heures du soir),
l'Ange Heurtebise devint poème et me délivra. Je de-
meurai stupide. Je considérai la figure qu'il avait prise.
Elle me demeurait lointaine, hautaine, totalement in-

différente à ce qui n'était point elle. Un monstre
d'égoïsme. Un bloc d'invisibilité. » Ce septième jour,
Cocteau l'indique dans *Opium*, est la veille de son entrée
en cure de désintoxication. Ici le parallélisme est frappant : révélation du nom de l'Ange — rencontre des
Maritain ; naissance du poème — entrée en clinique.
Cela se déroule sur deux plans, mais n'interfère nullement, sinon que la démarche qui conduit le poète vers
l'Ange contredira finalement celle qui le pousse à obéir
aux Maritain. Mais Cocteau ne s'en rendra compte que
plus tard. Dans le moment, il s'agit, pense-t-il, d'un
même mouvement : l'Ange joue le rôle d'intercesseur :
« L'Ange Heurtebise me pousse / Et vous roi Jésus,
miséricorde / Me hissez, m'attirez jusqu'à l'angle /
Droit de vos genoux pointus / Plaisir sans mélange.
Pouce! dénoue / La corde, je meurs [1]. » Ange et angle.
L'Ange pousse et Jésus tire. Sans vouloir tenter l'exégèse du poème — ce qui serait le déflorer, et est d'ailleurs
impossible, il faut tout de même bien signaler ici que
Heurtebise, et ses « joues en feu [2] », qui « tombe fusillé
par les soldats de Dieu » ne peut être, biographiquement,
que Raymond Radiguet, et que Cégeste « l'autre Ange »
qui « le remplace / Dont je ne savais pas le nom hier »
est à la fois, rétrospectivement Jean Le Roy, le dédicataire du *Discours du grand sommeil*, en effet « tué à la
guerre », et présentement le très vivant Jean Bourgoint.
Cocteau vient de faire sa connaissance et, dans une lettre
à Max Jacob [3], il l'appelle « un de mes Anges ». Jean
Bourgoint a dix-neuf ans, il vit avec sa sœur et sa mère
dans un « désordre matériel et moral indescriptible ».
L'appartement des Bourgoint deviendra près de quatre
ans plus tard la chambre des *Enfants terribles*. En 1925,
Cocteau voit en Jean Bourgoint non seulement une

1. *L'Ange Heurtebise*, IIIe strophe.
2. Titre du recueil de poèmes de Radiguet.
3. Du 3 avril 1925, cité par Jean-Jacques Kihm, *in* J.-J. Kihm,
Elizabeth Sprigge, Henri C. Behar, *Jean Cocteau, l'homme et les
miroirs*, 1968.

réincarnation de l'Ange, disparu avec Radiguet, mais la réapparition de Dargelos — ce que n'était pas Radiguet — et d'un Dargelos « foncièrement homosexuel [1] », ce que n'étaient ni Dargelos ni, encore moins, Radiguet. Cette conjugaison l'émerveille. Avec une touchante naïveté [2], il présente Bourgoint aux Maritain et le fait baptiser. Il semble pourtant qu'il se détachera assez vite de lui.

*

Toujours est-il que, maintenant, Jean est à peu près guéri. Il a trouvé un port d'attache, l'hôtel Welcome à Villefranche-sur-Mer, près de Roquebrune. Il y attire ses amis, y rencontre des jeunes gens, dont certains deviendront ses intimes, le poète Georges Hugnet, le peintre Christian Bérard avec qui il collaborera jusqu'à la mort de ce dernier. Il vient de moins en moins à Paris. A Villefranche, il travaille. Sortant d'une période de stérilité, il entre dans une phase de production intense et d'une remarquable diversité : adaptation de l'*Œdipe roi* de Sophocle, et parallèlement livret de l'oratorio *Œdipus rex*, que lui a commandé Stravinski et que le Père Daniélou traduira en latin. Cette fréquentation assidue d'Œdipe engendrera sept ans plus tard sa version personnelle du mythe, *La Machine infernale*, mais pour le moment, comme si ce sujet lui était encore interdit, comme s'il n'osait se mesurer avec le chef-d'œuvre de Sophocle, il se tourne vers un autre mythe qui, lui, n'a pas encore donné lieu à une grande œuvre tragique, *Orphée*. Orphée, le poète qui sait charmer les bêtes, mais qui périt victime des Bacchantes, Orphée qui eut le privilège de pénétrer vivant dans le royaume des morts pour en ramener son épouse, Eurydice, qu'il ne perdra que pour la rejoindre. Mais, comme il le fera si souvent par la suite, Cocteau recrée entiè-

1. J.-J. Kihm, E. Sprigge, H. C. Behar, *op. cit.*
2. Naïveté, ou perspicacité prophétique, puisque Jean Bourgoint finalement, beaucoup plus tard, entrera à la Trappe.

rement la légende en y introduisant ses propres problèmes qui deviennent de ce fait mythiques eux-mêmes.
C'est là le résultat du travail qu'accomplit par ruse la
sublimation. On pourrait, à propos d'*Orphée* en étudier
le processus. Comment, en effet, ne pas reconnaître sous
la décapitation d'Orphée par les Bacchantes le complexe
de castration, et la peur des femmes qui en résulte ?
Mais ce qui nous importe ici est seulement la question
de savoir pourquoi Cocteau a choisi ce thème à ce moment
précis. Nécessairement parce qu'il y retrouvait d'une
certaine manière assez de sa propre situation pour
pouvoir l'y projeter tout entière. Ce n'est évidemment
pas un hasard si y figure, dans le rôle que la mythologie
attribue à Hermès, Heurtebise. En Eurydice, l'épouse
avec qui les rapports d'Orphée sont si tendus que des
scènes éclatent au moindre prétexte, en particulier
lorsque le poète fait allusion aux anciennes amies —
homosexuelles — d'Eurydice avec qui celle-ci reste plus
ou moins en relation, ce qui n'est pas le moindre des
griefs d'Orphée — et l'on songe ici aux transpositions
de Proust au sujet d'Albertine qui, notons-le en passant,
avaient si fort agacé Cocteau —, mais dont la mort
démontre brutalement à Orphée qu'il ne peut vivre
sans elle, ne faut-il pas (*mutatis mutandis*, et *cum grano
salis*) reconnaître Radiguet, lequel serait aussi Heurtebise, personnage incarné par Cocteau lors de la reprise
de la pièce en 1927, véritable jeu de miroirs dans une
pièce où l'un d'eux joue le rôle de l'autre. Pour Cocteau,
Orphée était d'ailleurs une pièce magique ; et il note
soigneusement dans *Opium* les « coïncidences » qu'en-
gendrèrent « le nom » d'Heurtebise et « la pièce ».

D'un tout autre point de vue, c'est encore l'ombre
de Radiguet qui apparaît en filigrane d'*Opéra*, mais
cette fois en négatif, car *Opéra* s'oppose à *Plain-Chant*,
sa méthode renie presque celle du précédent recueil [1].

---

1. L'avenir démontrera qu'il s'agissait en fait moins d'un reniement
que d'une oscillation pendulaire entre deux modes d'expression moins
opposés au fond que complémentaires.

On peut imaginer que Radiguet aurait désapprouvé ce style oraculaire, ces calembours métaphysiques [1]. Enfin, car tout se tient étroitement dans l'œuvre de Cocteau, et par les liens les plus subtils, après avoir déclaré, dans *Opium :* « Reproche des calembours d'*Opéra*. C'est confondre calembours et coïncidences », employant ce mot dans le sens « magique » qu'il lui a donné à propos d'Heurtebise et d'Orphée — il définit *Opéra* comme « un appareil distributeur d'oracles, un buste qui parle », ce qui ne peut pas ne pas rappeler le cheval oraculeux d'*Orphée* dont, en scène, on ne voit que le buste. Plus tard, jetant un regard rétrospectif sur l'ensemble de son œuvre dans les *Entretiens avec André Fraigneau*, diffusés en 1951, il affirmera : « Les poèmes d'*Opéra* sont les premiers que j'estime être vraiment de mon essence... », et il reliera leur genèse à la « découverte de sa mythologie personnelle » à Villefranche : « Je me suis mis à fabriquer des objets avec ce qu'on achète au bureau de tabac d'en face, de la colle et des boîtes. Et ces objets m'ont peu à peu donné le style et l'architecture des poèmes du livre *Opéra*. »

Opéra, *Orphée*, plus tard *Opium*, il resterait encore à tenter d'expliquer pourquoi toutes ces œuvres commencent par la lettre O. Mais ceci nous entraînerait dans le champ analytique au seuil duquel nous entendons ici rester.

*

C'est encore à l'hôtel Welcome qu'en octobre 1925, Jean Cocteau rédige sa *Lettre à Jacques Maritain*. Loin de Meudon, il prend le large. Voici que maintenant il pose ses conditions : catholique, certes — il l'a d'ailleurs toujours été — mais poète d'abord, savoir si l'Église admettra, reconnaîtra un poète de sa sorte ? La réponse

1. Radiguet vivant, car c'est ici Radiguet mort — l'Ange Heurtebise — qui est censé inspirer le poète.

est — ne peut être que — non. Il la reçoit en janvier 1926.

On dirait que, remis sur ses rails, Cocteau, gauchi par Radiguet et qui a failli l'être par Maritain, entend redevenir soi-même, aussi qu'il veut faire place nette. Pour quoi ? Pour qui ? Sans doute est-il déjà entré en relations — au moins épistolaires — avec Jean Desbordes.

Jean Desbordes n'a pas vingt ans, Jean Cocteau en a trente-six. Garçon sensible et solitaire, vivant en province, Desbordes a lu *Le Grand Écart* et envoie ses premiers écrits à Cocteau. Cette fois, est-ce Rimbaud ? Le poète répond : « Il y a du génie dans ton affaire [1]. » Desbordes n'est pas Rimbaud, il n'est pas non plus Radiguet, contrairement à ce que croit Cocteau à cette époque où il écrit : «... Raymond est revenu sous une autre forme et souvent il se démasque [2] », et dessine Desbordes endormi, comme il a dessiné Radiguet — ce sont les *Vingt-cinq dessins d'un dormeur*. Et cela n'en vaut que mieux pour Cocteau qui, à s'appuyer sur Desbordes, comme Desbordes s'appuie sur lui, trouve enfin un certain équilibre. Tout d'abord, parce que, à la différence de Radiguet, Jean Desbordes est venu vers lui en disciple, qu'il ne connaît alors que lui, et aussi parce que l'entente entre eux est sur tous les plans satisfaisante. Il n'empêche qu'en vertu d'une impulsion irrésistible à la répétition, Jean Cocteau recommence : de même que, quelques années plus tôt, *Le Diable au corps* et *Le Grand Écart* avaient été composés parallèlement, de même en 1927, tandis que Desbordes compose *J'adore*, Cocteau écrit pour lui des fausses confidences, ce livre qu'il ne reconnut jamais tout à fait par la suite, *Le Livre blanc*, dont il a dit beaucoup plus

---

1. Lettre citée par J.-J. Kihm, *op. cit.* Notons le P.-S. de cette lettre : « J'entre dans l'anniversaire de la mort de Radiguet : Pense à lui. Pense à nous. Prie pour nous. » Cet anniversaire est évidemment pour Cocteau une « coïncidence ».

2. Lettre à Bernard Faÿ, citée par J.-J. Kihm.

tard : « Il semble que l'auteur connaisse *Le Grand Écart*
et ne méprise pas mon travail. Mais quel que soit le
bien que je pense de ce livre — serait-il de moi — je ne
voudrais pas le signer parce qu'il prendrait forme d'autobiographie et que je me réserve d'écrire la mienne,
beaucoup plus singulière encore [1]. » C'est qu'en effet, si,
encouragé par l'impudeur, ou l'absence d'hypocrisie, de
Desbordes, Cocteau en dit plus long que partout ailleurs sur un problème qu'il ne peut directement abor-
der — comme il le précisera dans une préface au *Livre
blanc* en 1957, ici « l'auteur raconte et ne se raconte pas »
—, il ne peut, pas plus ici qu'ailleurs, livrer son secret,
non tant parce qu'il serait une offense à la morale de la
société dans laquelle il vit, mais parce qu'il est trop
intime pour pouvoir être dévoilé, trop subtil pour ne pas,
écrit tel quel, noir sur blanc, causer de malentendu.
Il n'empêche qu'on retrouve dans *Le Livre blanc*
certains des thèmes habituels, on pourrait même dire
obsessionnels, de l'œuvre, non pas certes à l'état pur,
mais tout au moins dépouillés des masques mythologiques dont les revêt la sublimation : le thème du miroir, le thème de Dargelos qui, déjà mentionné allusi-
vement, par exemple, dans *A force de plaisirs* de *Vocabulaire* (1922), naît ouvertement ici et va trouver, aussitôt après, sa parfaite et redoutable expression. Ce n'est
pas là un hasard. Si maintenant Cocteau peut parler
de Dargelos, lequel est d'ailleurs moins un événement
biographique qu'un mythe personnel — mais les mythes
jouent dans notre vie intime, la seule véritable, un bien
plus grand rôle que les événements, lesquels ne leur
servent que de prétextes —, c'est à cause de Jean Desbordes, et parce que Desbordes lui-même s'examine
sans crainte sur ce qui dans sa propre vie y correspond,
et surtout parce qu'en lui Cocteau retrouvait Dargelos,
mais un Dargelos accessible, avec qui existait la réci-
procité, ce qui dès lors levait l'interdit.

1. Article dans le *Sexual Digest*, octobre 1949.

Ce que Cocteau a fait pour *Le Diable au corps*, il le refait pour *J'adore* et procède à un véritable lancement. Dans sa préface au livre de Desbordes, il reprend le thème de sa *Lettre à Maritain*, cette fois sur un tout autre ton, non plus de doute mais d'affirmation, comme s'il s'affranchissait définitivement : « Ce livre enseigne l'anarchie nouvelle qui consiste à aimer Dieu sans limites, à perdre votre prudence et à dire tout ce qui vous passe par le cœur. » Réponse à la *Réponse*, à laquelle Maritain riposte : « Souffrir la profanation de l'Évangile, la confusion d'une sensualité délirante avec la religion, cela est impossible. »

*

Si l'on consulte les éphémérides, on s'aperçoit que ces années-là — les années de la vie avec Jean Desbordes, de 1926 à fin 1928 — sont par rapport à celles qui précèdent et à celles qui suivent, singulièrement vides d'œuvres. En dehors du *Livre blanc*, publié en 1928 sous l'anonymat et qui le restera, Cocteau n'écrit que *La Voix humaine*, pièce aussi brève que terrible, qui introduit sur la scène une dimension nouvelle et vertigineuse, mais dans laquelle les « initiés » crurent, lors de sa création, reconnaître un dialogue téléphonique entre Cocteau et Desbordes, certainement bien à tort [1]. Ces « initiés » qui connaissaient d'une part — à travers d'ailleurs quels racontars ? — la vie du poète et d'autre part suivaient son œuvre, leur principale, sinon leur seule préoccupation fut désormais de reconnaître dans l'une la transcription de l'autre, ce en quoi ils se trompaient, car si l'une effectivement reflétait l'autre, ce n'était nullement au sens où ils l'entendaient, au niveau où ils se plaçaient — parce que c'était le leur —, celui de l'anecdote et du scandale. Malheureusement, Jean Coc-

1. En fait, l'intervention d'Éluard ne fut pour lui — et les surréalistes — qu'un prétexte pour insulter une nouvelle fois Cocteau.

teau venait de donner un aliment à leurs médisances et
à leurs calomnies, *Le Livre blanc*. C'est en partie pour
se dégager de cette petite troupe, formée non seulement
de ces ennemis, mais d'amis aussi maladroits que bien
intentionnés — dont il fut dès lors prisonnier, car, tout
en lui portant gravement préjudice, elle se trouvait
à l'origine de ses succès —, que Jean Cocteau devait
affirmer avec toujours plus de force l'existence inatteignable, irréductible, du poète invisible.

A quelles causes assigner cette relative « paresse »
des années 1927-1928? Peut-être à l'influence de Desbordes qui préférait la vie à l'œuvre, peut-être à celle
de la drogue sous laquelle Cocteau était retombé,
« parce que, comme il l'a dit dans *Opium*, les médecins
qui désintoxiquent... ne cherchent pas à guérir les
troubles premiers qui motivent l'intoxication », et qu'il
avait, désintoxiqué, retrouvé son déséquilibre nerveux
—, peut-être aussi parce que, au cours de l'année 1925,
il avait tant produit, qu'il lui fallait maintenant laisser
se recharger ses batteries, et plus probablement pour
ces trois raisons conjointes.

Mais de nouveau allait survenir, comme une véritable
crise, une période brève, mais d'une toute particulière
et intense fécondité. Elle coïncida si exactement avec
une nouvelle cure de désintoxication qu'on ne peut pas
ne pas y voir une relation de cause à effet, comme si,
se vidant de l'opium, le poète expulsait du même coup
ce qui, sous son règne, s'était en lui accumulé.

*

Le 16 décembre 1928, Jean Cocteau entre en cure dans
une clinique de Saint-Cloud, il n'en sortira qu'en
avril 1929. Si les débuts de la désintoxication consti-
tuent un véritable supplice, au bout de quelques semaines, le patient qui, très vite, a déjà repris le stylo — il
dessine et écrit — recevra ses amis.

Ce qu'il dessine et écrit, c'est *Opium. Journal d'une*

désintoxication, un de ces livres clefs qui, du *Potomak*
(1913) au *Journal d'un inconnu* (1953), en passant par
La Difficulté d'être (1947), jalonnent son évolution et
en rendent compte, écrits véritablement intimes, car
d'abord élaborés pour lui-même, à son propre usage, et
donc sans pose et sans complaisance, où, après une
crise, une époque de vie excessive, Cocteau, obligé par
les circonstances à marquer une pause, s'interroge sur
lui-même, se récapitule, détermine le point où il se
trouve parvenu et se prépare ainsi à un nouveau départ,
à un nouveau pas en avant. Dans *Opium*, l'avenir est
déjà là, présent, puisque s'en détachent aussitôt
Les Enfants terribles et qu'y apparaît, fruit noué déjà
mais non encore mûr, *La Machine infernale*, deux
œuvres où se manifeste avec éclat sa mythologie la
plus personnelle, la plus fondamentale, parce que
désintoxication pour lui signifie levée d'amnésie [1].

Car si *Les Enfants terribles*, écrits, rappelons-le,
d'un trait en quelques jours (17 ou 19, suivant Cocteau
lui-même) se nourrissent d'images actuelles, celles que
lui apporte Christian Bérard, ami de Jean et de Jeanne
Bourgoint, que lui-même connaît et a fréquentés — et
les premières rencontres avec Jean Bourgoint se situent
curieusement autour d'une autre cure de désintoxication, celle de 1925 —, s'ils évoluent dans le cadre que
leur fournit l'appartement des Bourgoint, ils préexistent
de beaucoup à ces circonstances qui simplement les
font revivre. En mars 1929, Cocteau écrit en effet à
Gide : « Le vrai bénéfice de ma cure : le travail me travaille. J'expulse un livre que je souhaitais écrire depuis
1912... Le livre sort sans bousculade — il me commande,
me maltraite et je fais en dix-neuf jours un travail de
plusieurs mois. » Depuis 1912, donc avant *Le Potomak*,

---

1. Dans *Opium*, il note ces « retours de la mémoire », qui significativement suivent de près le « retour de la sensualité (premier symptôme
net de la désintoxication) ». D'où il semble résulter que l'utilité principale de l'opium est de lui permettre d'oublier et, au premier chef,
d'oublier la « sensualité », en fait la sexualité.

avant la première œuvre, puisque les précédentes furent
reniées [1]. *Les Enfants terribles* seraient par conséquent
ce que Cocteau a dès ses débuts voulu dire, à travers
eux s'exprime donc une situation — réalité ou fantasme
— de sa première jeunesse, de son enfance. Parlant de
la genèse du livre, de sa totale absence de liberté au
cours de son élaboration, Cocteau laisse entendre que
c'était comme si un secteur jusqu'alors obscur — et
interdit — de sa mémoire s'était soudain éclairé.
En 1951 [2], il précisera : « Tout cela se formait en moi,
rencontrait des choses préexistantes et sortait de moi
comme quand on fouille. Il s'agissait de ne pas donner
de trop mauvais coups de bêche ; j'étais mon propre
archéologue, je trouvais des choses toutes faites. Quand
j'ai voulu les faire moi-même, c'était affreux, enfin ça
n'a pas été, ça s'est arrêté... J'ai été puni en quelque
sorte, pendant sept, huit jours. » Ce souvenir ancien,
fondamental, tout à coup resurgi au jour, fut peut-être
tout simplement — et le plus vraisemblablement —
celui de l'intimité existant entre son frère et sa sœur,
déjà grands, dont lui, le petit, était exclu. Ce que lui
restitue le souvenir, ce ne sont évidemment pas les relations entre Paul, son frère, devenu le frère d'Élisabeth
dans *Les Enfants terribles*, et sa sœur aînée, Marthe,
telles qu'elles existaient objectivement, mais bien telles
que les imaginait le petit garçon, plus jeune d'une dizaine
d'années, qu'on tenait à l'écart, donc à la fois plein
d'envie et y projetant ses propres désirs, c'est-à-dire
exquises et coupables, innocentes et perverses.

Retrouvant à vif ce que les psychanalystes appellent
« la constellation familiale », Cocteau revit du même
coup, au centre toujours sensible et toujours vibrant

---

1. Dans une lettre de la même époque (mars 1929) à Élie Gagnebin,
il va jusqu'à dire : « Il en résulte un livre que je rêvais d'écrire depuis
l'âge de dix-huit ans. » Ce qui nous reporte à 1907, l'année où sa mère
quitte l'hôtel particulier de la rue La Bruyère et où il commence à
vivre seul avec elle.
2. Dans les *Entretiens avec André Fraigneau.*

de celle-ci, les rapports trop tendres du « petit dernier »
avec sa mère, donc le complexe d'Œdipe.

Il y a longtemps que ce mythe le hante, qu'il s'en
rapproche ; *Antigone* est de 1923, l'adaptation de
l'*Œdipe roi* de Sophocle, l'*Œdipus rex* sont de l'été
1925, et procèdent tous deux de la cure de désintoxication du printemps 1925, mais il n'a pas encore osé
l'affronter lui-même et de face. A la fin de la nouvelle
cure, Œdipe se dresse soudain devant lui : « Je rêve qu'il
me soit donné d'écrire un Œdipe et le Sphinx », écrit-il
dans *Opium*. Ce rêve, il ne le réalisera d'ailleurs que trois
ans plus tard, en 1932, ce sera *La Machine infernale*.

*

Après cette période de repos forcé, d'intense travail à
l'ombre, c'est sous les projecteurs que réapparaît
Jean Cocteau devant la société parisienne. A peine
sorti de la clinique, il entre à la Comédie-Française où,
le 19 mars 1929, il donne lecture de *La Voix humaine*
qui y est aussitôt acceptée à l'unanimité. Elle y sera
jouée en février 1930. Mais, en attendant, Cocteau
aura très largement étendu son public avec *Les Enfants
terribles* qui reçoivent aussitôt un accueil enthousiaste.
Albert Thibaudet écrit dans la N. R. F. [1] de septembre
1929 : « A l'heure où paraîtront ces lignes, je n'appren-
drai certainement à aucun de mes lecteurs que *Les
Enfants terribles* représentent une réussite extraordinaire. On est à peu près unanime à y voir le chef-
d'œuvre de M. Jean Cocteau. Son chef-d'œuvre parce
qu'aucun de ses livres précédents, pas même *Le Grand
Écart*, ne lui avait été imposé à ce point par sa nature,
par sa mission, par son pathétique profond. » Jamais la
critique n'avait été encore aussi généreuse, jamais elle
n'avait montré une telle compréhension. Et, comme
tout s'enchaîne, pendant que *La Voix humaine* se joue

1. Qui lui a jusqu'alors été hostile.

au Français, Jean Cocteau, qui a annoncé dans *Opium* :
« La prochaine œuvre sera un film », en commence un,
le premier.

Il y a longtemps qu'il s'intéresse au cinématographe,
comme il dit, longtemps qu'il pense qu'on n'en a
guère encore utilisé les immenses ressources potentielles.
L'occasion de l'expérimenter lui-même lui est offerte
par Charles de Noailles qui commandite dans le même
temps Luis Buñuel, auteur du *Chien andalou*, lequel
fait alors *L'Age d'or*. Tout ce qu'apportait de neuf
Le Sang d'un poète, l'accueil reçu, l'influence, plus ou
moins directe, qu'a exercée ce film qui, à travers toutes
sortes d'audaces, ouvrait grande la porte à l'expression
la plus intime d'une personnalité, l'ont suffisamment
démontré. Pour Cocteau, il s'agissait de faire apparaître
quelques-uns des aspects les plus déconcertants de son
univers intérieur, et d'inviter le spectateur à y entrer.
Tout servit à ce propos. Le film n'était destiné qu'à
un petit groupe amical, ce devait être à l'origine un
dessin animé, ce qui incita Cocteau à « choisir des amis
ou des acteurs amateurs, de rencontre, qui pourraient
ressembler à ses dessins [1] », enfin son ignorance, alors
totale, de la technique, qui lui en fit inventer une de
toutes pièces. *Le Sang d'un poète* fut tourné d'avril à
septembre 1930, mais ne fut présenté au cours d'une
soirée de gala que le 20 janvier 1932. Et c'est seulement
beaucoup plus tard qu'il accomplit l'éblouissante
trajectoire que l'on sait.

Quant à *La Machine infernale*, Jean Cocteau ne put
s'y mettre vraiment qu'en 1932 et, semble-t-il, non sans
difficultés — non sans résistances —, puisque, de son
propre aveu, il la composa de manière hétéroclite,
commençant par le second acte, écrivant ensuite le
premier, puis le quatrième, enfin le troisième. Si Louis
Jouvet accepta tout de suite de monter la pièce (fin 1932),
elle ne fut représentée que plus d'un an après (10 avril

1. *Entretiens avec André Fraigneau.*

1934), tant sa préparation avait été délicate et hérissée
d'obstacles de toute espèce. De plus, sa carrière fut alors
singulièrement brève : soixante-quatre représentations
seulement, Louis Jouvet devant quitter la Comédie
des Champs-Élysées.

*

La vague de fond qui avait soulevé le poète à sa sortie
de la clinique de Saint-Cloud, au printemps 1929,
l'assurance qu'elle lui avait donnée et qui le porta à
tenter de conquérir un public jusqu'alors méfiant,
avait donc produit des résultats divers, les uns immé-
diats, les autres en quelque sorte freinés et qui ne devaient s'épanouir que plus tard. Cela suffisait pour que
Cocteau se sente invité à poursuivre dans cette voie :
ses doutes perpétuels sur soi-même le contraignaient
de plus en plus à chercher un appui au-dehors, et par là
à rendre plus accessible une œuvre qui n'avait encore
touché que le petit nombre. Le théâtre à la vie duquel,
au cours de la préparation de *La Machine infernale*, il
avait intensément participé, lui sembla dès lors le
médium le plus favorable. Contrairement au livre, il
permettait en effet un contact direct, passionnel et
passionné, avec le public ; le succès — et aussi bien
l'échec — y était immédiat et décisif, de plus, il se
renouvelait tous les soirs. Cocteau qui toujours éprouva
un besoin presque maladif d'approbation, y trouva un
réel réconfort.

Sa vie privée, fort naturellement, s'en ressentit.
Lorsque se relâche et peu à peu se dénoue le lien très
fort qui l'attachait à Jean Desbordes, c'est un personnage
bien différent qui vit désormais à ses côtés. Marcel
Khill, qui en 1933 a vingt ans, n'écrit pas, Cocteau
voudra faire de lui — comme plus tard d'Édouard
Dermit —, un acteur ; mais il n'a ni vocation ni don
véritable. Ce qui le caractérise, c'est, outre sa beauté,
une santé éclatante, sa solidité, son dévouement sur

lesquels Cocteau, qui probablement commence à se sentir vieillir, sait qu'il peut faire fond.

A partir de lui, comme l'a pertinemment noté Jean-Jacques Kihm [1], les jeunes hommes qui partageront la vie de Cocteau — Jean Marais, à partir de 1937, Édouard Dermit, après 1947 — sont d'un type tout autre que ceux qui les ont précédés, et ils ont entre eux une certaine ressemblance, celle que manifestent les dessins de Cocteau [2], ce ne sont plus des disciples — des égaux, des doubles, et somme toute, des frères —, mais des fils — aussi différents de leur père que des fils selon la chair —, capables de lui apporter le secours de leurs jeunes forces, quand les siennes déclinent. Cocteau lui-même était parfaitement conscient de ce changement. En 1947, dans *La Difficulté d'être*, il écrit : « L'avion de Garros brûle. Il tombe. Jean Le Roy range mes lettres en éventail sur sa cantine. Il empoigne sa mitrailleuse. Il meurt. La thyphoïde m'emporte Radiguet. Marcel Khill est tué en Alsace. La Gestapo torture Jean Desbordes.

« Je sais bien que je recherchais l'amitié de machines qui tournent trop vite et s'usent dramatiquement. Aujourd'hui l'instinct paternel m'en éloigne. Je me tourne vers ceux qui ne portent pas l'étoile noire. Maudite soit-elle ! Je la déteste. Je réchauffe ma carcasse au soleil. »

A la différence de Radiguet ou de Desbordes, semblables à lui, Khill, Marais, Dermit, possédant ce qui lui manque, le complètent. Ils seront chargés de représenter le poète devant le public — ce à quoi d'ailleurs seul Jean Marais se révélera finalement apte —, mais aussi

---

1. In *op. cit.* p. 52, note 3.
2. Il existe aussi un lien fortuit entre Khill et Desbordes ; ils meurent tous deux jeunes — comme Radiguet — pendant la guerre — comme Le Roy —, le premier le 18 juin 1940, son unité ignorant que l'armistice était signé, le second torturé par la Gestapo, sans avoir livré les noms des agents du réseau dont il faisait partie — le 5 juillet 1944 — le jour même où Cocteau eut cinquante-cinq ans — quelques semaines avant la libération de Paris, donc tous deux à l'extrême fin des combats (Jean Le Roy était mort sept mois avant l'armistice, en 1918).

de s'interposer entre le monde extérieur et lui, tâches
dont s'acquitteront à merveille Marcel Khill, lors du
voyage autour du monde, et Édouard Dermit dans la
vieillesse de Cocteau. Peut-être faut-il voir aussi dans
ce changement l'influence de l'échec relatif de sa liaison
avec Jean Desbordes qui dura pourtant sept ans et
ne se rompit jamais tout à fait. Il faut remarquer
qu'aussitôt que Jean Desbordes eut quitté la rue Vignon,
où ils habitaient ensemble, Jean Cocteau subit une
nouvelle cure de désintoxication, et que de cette cure
naquit la première ébauche des *Chevaliers de la Table
Ronde*, lesquels ne furent terminés qu'en 1937 [1], et
créés par un jeune comédien que Cocteau venait de
découvrir, Jean Marais. C'est aussi lorsque Cocteau et
Desbordes commencent à prendre leurs distances
qu'apparaît, que réapparaît dans la vie de Cocteau,
une femme. Natalie Paley est séduisante par sa beauté,
son élégance, et ses origines. Mais ce sera seulement
une brève flambée qui ne laissera que des cendres.
Deux ans plus tard, Cocteau se lie avec Louise de Vilmorin qu'il ira jusqu'à demander en mariage, mais qui
restera son amie. Il semble incontestable qu'à cette
époque (1932-1934) ses liaisons masculines ne le satisfai-
saient plus, incontestable aussi qu'autour de la quaran-
taine [2], il ressentait avec force un besoin de paternité,
qui ne fut exaucé, mais beaucoup plus tard, que par
l'adoption.

*

En 1935-1936, se présente l'occasion d'acquérir
peut-être la place qui lui est due, mais où il ne sait
comment parvenir. Au début de 1935, il publie dans
Le Figaro ses *Portraits-Souvenirs*. Le 29 mars 1936,

1. Il existe donc un certain parallélisme entre la conception des
Chevaliers de la Table Ronde et celle de *La Machine infernale*.
2. En 1936, il a quarante-sept ans, l'âge qu'avait son père à sa naissance.

en compagnie de Marcel Khill, il s'embarque pour le
« Tour du monde en 80 jours ». Bien entendu, le voyage est
entièrement payé — Jean Cocteau n'a jamais d'argent,
et à ce moment-là moins que jamais — et organisé
par Jean Prouvost, directeur de *Paris-Soir*, journal
qui publiera ses impressions de voyage. En 1937, à la
demande d'Aragon, il publie dans *Ce Soir* des *Articles
de Paris*.

Malgré tout, ce n'est là qu'un pis-aller. Jean, depuis
La Machine infernale, a tout misé sur le théâtre. Et le
théâtre se dérobe. Non seulement les directeurs, mais
les pièces qu'il brûle d'écrire. Et particulièrement ces
Chevaliers de la Table Ronde que, dès la fin de décembre 1933, il a esquissés, et qu'il a repris au cours de l'automne 1934. Jouvet qui a monté *La Machine infernale*,
qui a encouragé Cocteau à écrire cette nouvelle pièce,
lui demande quelques remaniements, puis s'en désin-
téresse. En fait, Cocteau lui-même ne croit guère à cette
œuvre. Elle s'inscrit dans un cadre qui lui demeure
étranger. Il n'en comprend, semble-t-il, que tardivement
le sens, le sens apparent : l'ensorcellement auquel sont
soumis les habitants du château d'Artus n'est qu'un
autre mot pour l'intoxication, intoxication dont profite
Merlin l'enchanteur pour mener ses intrigues diaboliques
et ses farces sinistres. Mais la désintoxication est en
effet un désenchantement : la vérité « est dure à vivre ».
Il ne sait évidemment pas que sa pièce est prophétique,
que le rôle du très pur, du très droit Galaad, qui dissipe
le mirage, sera joué trois ans plus tard par Jean Marais
qu'il ne connaît pas encore, et qui l'arrachera définitivement à la drogue. Mais jusqu'alors il doute et le dira,
la pièce jouée et publiée, dans sa préface : cette pièce lui
reste étrangère. Et, comme pour donner existence à ces
fantômes, Cocteau inlassablement les dessine [1].

---

1. Il publiera ses *Dessins en marge des Chevaliers de la Table Ronde*,
qui furent exposés en 1938 au théâtre de l'Œuvre, et à la librairie des
Quatre-Chemins en 1941.

*

C'est au printemps de 1937 que Jean Cocteau rencontre Jean Marais. Jean Marais est un jeune comédien encore inconnu de vingt-quatre ans. Jean Cocteau est pour lui l'auteur très admiré des *Enfants terribles*. Il a quarante-huit ans, le double de son âge. Et c'est son double que Marais va devenir au théâtre, où, lui prêtant sa jeunesse, sa beauté, il jouera son rôle. Avec Marais, le narcissisme si particulier de Cocteau, son narcissisme projectif, va trouver de ce fait d'intenses satisfactions. Jean Marais sait qu'on prépare au théâtre de l'Œuvre *Les Chevaliers de la Table Ronde*, que Jean-Pierre Aumont va créer le rôle de Galaad. Il rêve d'être sa doublure. En fait, Jean-Pierre Aumont n'ayant pu se libérer de contrats antérieurs, c'est lui qui sera Galaad et à qui le Tout-Paris fera un triomphe. Mais la pièce déconcerte public et critiques, et deux mois et demi après la première, quitte l'affiche.

Cocteau devrait renoncer au théâtre. Il y songe, quand surgit toute faite une nouvelle pièce qu'il écrit en huit jours, *Les Parents terribles*. Elle est née en partie des confidences de Marais qui raconte à Cocteau sa jeunesse, laquelle n'est pas sans analogie avec celle de Jean Desbordes, que celui-ci d'ailleurs porta au théâtre dans *L'Age ingrat* — mais tout cela n'est que prétexte, comme la chambre des Bourgoint dans *Les Enfants terribles*, pour rappeler à Cocteau ses rapports anciens avec sa mère —, elle est née aussi en partie de l'amitié admirative qui lie depuis peu Jean Marais à Yvonne de Bray. C'est officiellement pour faire jouer ensemble ces deux comédiens que Jean Cocteau écrit *Les Parents terribles* où ils pourront être eux-mêmes et à la limite de leurs possibilités. Cependant, après l'échec des *Chevaliers*, une pièce si différente d'esprit et d'accent inquiète encore davantage les directeurs de théâtre qui, l'un après l'autre, se récusent. Et il faut l'amitié d'Alice Cocéa pour faire confiance à Cocteau.

Les Parents terribles commencent le 14 novembre 1938 leur longue carrière, la critique est quelque peu réticente, mais le public suit. Il semble que cette fois enfin lui et Cocteau se soient définitivement rencontrés. Le poète en tire imprudemment la conclusion que le théâtre est sa vocation, tout au moins sa vocation actuelle. Il a gagné les applaudissements et ne peut plus s'en passer. On lui demande maintenant des pièces, il en donnera : coup sur coup en 1939 il écrit *La Machine à écrire* et *Les Monstres sacrés* qui seront jouées respectivement en 1940 et 1941. Aux pièces succéderont, à partir de 1943, les films, où la part propre de Cocteau ne cessera de croître. Si, dans *Le Baron fantôme* (1943) il signe seulement les dialogues — et s'amuse à jouer un rôle[1] —, dans *L'Éternel Retour* (1943), il est l'auteur du scénario et des dialogues, enfin *La Belle et la Bête* (1945) qu'il met lui-même en scène, est entièrement son œuvre. Ce sont là des occasions pour lui de conquérir le public du cinéma, différent et surtout beaucoup plus étendu que celui du théâtre ; ce n'est plus seulement Paris qui voit *L'Éternel Retour*, c'est la France entière.

*

Entre-temps, il y a eu la guerre et l'occupation. Marcel Khill, puis Jean Desbordes y sont morts. En cette époque incertaine et périlleuse, Jean Cocteau, indifférent à la politique et quelque peu sceptique à son égard, s'est conduit d'une manière telle que, s'il a été violemment pris à partie en 1941 par la presse collaboratrice, on lui fait grief à la Libération de certaines compromissions, et surtout d'avoir poursuivi en pleine occupation une carrière tout à fait publique. Ces reproches sont très sensibles à Cocteau, non seulement parce qu'il peut craindre de perdre en 1945 ce qu'il a si difficilement acquis, mais surtout probablement parce

---

1. Il y porte un costume du xviiie siècle, qu'il revêtira à nouveau dans la première séquence du *Testament d'Orphée.*

qu'ils trouvent en lui, sur un autre plan, un écho : le succès après lequel il court ne l'a-t-il pas payé de l'aliénation de cette partie de lui-même qu'il a depuis des années apparemment négligée ? Car en somme, depuis 1927, depuis *Opéra*, la poésie semble l'avoir déserté — *Mythologie* (1934) qui ne connut d'ailleurs qu'une édition de luxe à tirage fort restreint, et même *Énigme* (1939) sont des œuvres secondaires — et le retour de 1941 avec *Allégories* n'est pas encore le vrai retour, celui, triomphal, de 1944-1946 avec *Léone* et *La Crucifixion*; de même, dans ce domaine qu'il intitule *Poésie critique* et où il a donné quelques-uns de ses plus grands livres, après l'*Essai de critique indirecte* de 1932, c'est le silence, ou presque [1]. En 1942, on peut se demander ce qu'est devenu le « poète invisible », si même il existe encore. En gagnant le grand public, le public bourgeois, ingrat, infidèle et surtout médiocre, un public qu'au fond il méprise, Jean Cocteau n'a-t-il pas perdu l'audience à laquelle il tient tant et qui lui est nécessaire, celle fervente mais exigeante des jeunes gens, lesquels en sont presque arrivés à ne plus voir en lui à cette époque qu'un auteur des boulevards. Il est en 1945, au moment où la jeunesse se donne pour maîtres Sartre et Camus, parfaitement conscient de cette désaffection [2]. Il sait aussi que ramener à lui la jeunesse signifiera retrouver une partie de soi-même, la meilleure.

Dès *Renaud et Armide*, joué à la Comédie-Française en 1943, se dessine très nette la réaction. Qu'à la suite des *Monstres sacrés*, de *La Machine à écrire*, dont il n'hésitera pas à reconnaître en 1947 dans *La Difficulté d'être* qu'elle fut non seulement « un désastre », mais « une tache » [3], il puisse composer cette tragédie en

1. Les *Portraits-Souvenirs*, tout excellents qu'ils soient, ne peuvent se rattacher que très artificiellement à la *Poésie critique*.

2. Et exprimera cette situation pénible en 1949 dans son film *Orphée*.

3. Et il ajoute : « *La Machine à écrire* n'était pas une mauvaise pièce à l'origine. Le fluide m'a lâché. J'étais libre. Mais je ne suis plus libre d'effacer la tache que j'ai faite. Elle est là. »

vers, cet « opéra parlé », où tout est musique, montre
une saisissante et volontaire réorientation intérieure,
qui s'étend peu à peu à tous les domaines de la
création.

Il importe de remarquer que *Léone*, long poème en
120 strophes, publié en 1945, est par les dates de sa
conception, 1942-1944, contemporain de *Renaud et
Armide*, que par ailleurs il donne la main, par-delà les
poèmes publiés entre-temps, à *L'Ange Heurtebise* de
1925 et à certains poèmes d'*Opéra* (1927). Cocteau
atteint de nouveau ici le fond de son inspiration, le fond
de son être intime. Il marche à l'intérieur de lui-même,
explore ce monde nocturne, viscéral et sublime, auquel
nous n'avons accès que dans notre sommeil, monde
comparable à ces paysages sous-marins, somptueux et
indécents, où l'on ne peut progresser qu'avec des semelles
de plomb, dans un incroyable et vertigineux ralenti,
monde de rêve et de mort, mais aussi de la naissance
de toute vie. Dans *Léone*, le « poète invisible » se retrouve
et reprend le départ sur une route qui le conduira
à *La Crucifixion* (1946) et au *Requiem* (1962), route
des cimes — ou des abîmes — qui relie entre eux
ces quatre grands poèmes — de *L'Ange Heurtebise* au
Requiem.

Léone fut suivi de près par *La Crucifixion*, le plus
parfait sans doute de tous les poèmes de Cocteau et l'un
des plus beaux de toute la langue française. Ici, c'est
à même la souffrance physique, rendue actuelle et trans-
missible par l'entrechoc des mots, la dureté du rythme
syncopé que se tisse, de chair et de cris, le poème. Bien
que *La Crucifixion* transcende toute donnée biographique, il faut, dans le présent contexte, la rattacher
à une période particulièrement pénible de la vie du
poète, à cet immédiat après-guerre où Jean Cocteau,
inquiet, tourmenté, craignant de ne plus être préféré,
d'être même délaissé, s'efforce de donner — de se donner
— de nouvelles preuves d'un génie qui, périodiquement,
semble s'éclipser, mais ce n'est que pour renaître plus

vif, ayant acquis à chaque renaissance [1] une neuve
maturité, ayant enregistré en secret, dans l'intervalle,
un nouvel avancement — accumule sur tous les plans des
chefs-d'œuvre et s'y épuise. D'origine vraisemblablement psycho-somatique, la maladie de peau qui le
tourmente alors, pendant qu'au milieu des difficultés
techniques qu'engendre la situation économique, il
tourne *La Belle et la Bête*, film féerique mais scrupuleu-
sement réaliste, film d' « invasion », comme il dit, et
non d'évasion, il ne peut s'empêcher d'écrire les souffrances lancinantes qu'elle lui inflige dans le *Journal de
La Belle et la Bête*, sorte de « journal de raison » de
l'exemplaire artisan du cinéma qu'il sut jusqu'au bout
rester.

Si *La Belle et la Bête* qui sort en juillet 1946 est un
triomphe, *L'Aigle à deux têtes*, créé par Edwige Feuillère
et Jean Marais, l'automne suivant, une fois de plus
déconcerte. Qu'est-ce au juste ? se demandent les critiques, toujours en retard d'une œuvre ou deux. Une
pièce historique, un mélodrame ? Le public, lui, applau-
dit, même s'il ne saisit pas les implications subtiles de
la pièce, où, nous le verrons plus loin, Cocteau a monté
comme un mécanisme de précision l'équivalent exact
du plus tragique conflit de son existence.

En cette année 1946, Jean Cocteau multiforme occupe
partout le devant de la scène : au théâtre, reprise en
janvier des *Parents terribles*, création en juin du ballet
Le Jeune Homme et la Mort, en novembre de *L'Aigle
à deux têtes* ; au cinéma : sortie en juillet de *La Belle et
la Bête*, qui reçoit en décembre le prix Delluc ; en librairie, paraissent coup sur coup *La Belle et la Bête*,
Journal d'un film; *La Crucifixion* et *L'Aigle à deux têtes*,
tandis que commence la publication des *Œuvres complètes*.

*

---

1. Le cycle des morts et des renaissances qu'illustreront, en particulier, *Le Testament d'Orphée* et le *Cérémonial espagnol du Phénix*.

Va-t-on enfin lui rendre justice ? Au cours d'un bref entracte, juste avant de récolter les lauriers épineux de la gloire, Jean s'expose, nu, désarmé, dans *La Difficulté d'être*. C'est qu'il ne veut pas seulement être applaudi, admiré, il a besoin d'être connu tel qu'il est, et aimé. Lui, l'errant, sans domicile fixe, il veut aussi s'établir, avoir enfin sa maison. Avec l'âge, il aspire au calme de la campagne qu'il apprécie tant à Verrières, chez les Vilmorin. Avec Jean Marais, il achète à Milly-la-Forêt, une vieille et noble demeure, la Maison du Bailli, qui n'est pas sans rappeler celle du marchand dans *La Belle et la Bête*. Il s'y installe au printemps de 1947, mais n'y résidera que peu, car il ne peut se passer de Paris, où il habite le minuscule appartement du Palais-Royal. Jean Marais peu à peu s'éloigne et Cocteau loge à Milly un jeune mineur de vingt-deux ans, Édouard Dermit, qui peint pendant ses loisirs et dont Jean fait un aide-jardinier avant de l'adopter.

On pourrait en 1947 le croire épuisé ; ses succès, au contraire, lui donnent un nouvel élan. Celui de *La Belle et la Bête* l'entraîne vers le cinéma. Coup sur coup, il donne à l'écran deux pièces, *L'Aigle à deux têtes* et *Les Parents terribles*, mais il ne se contente pas de les adapter : s'il condense *L'Aigle à deux têtes*, il recrée *Les Parents terribles* grâce à l'usage des gros plans, à l'indiscrétion de la caméra qui semble surprendre les personnages comme à travers « le trou d'une serrure ».

Aussitôt après, il décide de porter au cinéma *Orphée*, qu'il tournera deux ans plus tard, en 1949. Ce ne sont pas seulement les transpositions nécessaires et ingénieuses : l'auto de la princesse (la Mort) conduite par Heurtebise, devenu chauffeur, joue ici le rôle du cheval de la pièce et c'est la radio de la voiture qui transmet les messages venus d'un autre monde, ni même le fait que le film donne au mythe l'atmosphère du rêve et représente ce qui ne pouvait paraître sur le théâtre, qui donnent à l'*Orphée* de 1949, par rapport à celui de 1926, un aspect et même un sens nouveaux, c'est surtout

que le mythe a évolué avec le poète, ce qui se marque
incidemment par le relatif effacement d'Heurtebise
devant un nouveau venu, Cégeste, mais, plus encore,
par l'évocation de la « Zone », « no man' s land entre la
vie et la mort », faite des souvenirs des humains et de
la ruine de leurs habitudes, qui montre à quel point la
méditation permanente de Cocteau sur la mort, sa
familiarité avec elle, s'étaient enrichies et approfondies.
Et *Orphée*, sur ce plan, annonce non seulement *Le
Testament d'Orphée*, mais cette odyssée intérieure, qui
clôt l'œuvre poétique, et est, elle aussi, un testament,
Le Requiem.

*

Dès lors, le Cocteau visible — sous lequel se dissimule
de plus en plus le poète invisible, alors même qu'il
transparaît comme en filigrane, dans la trame de l'œuvre —, celui qui « recevait les coups », commence à rece-
voir de la société les honneurs qu'il sait mériter, mais
dont il n'ignore nullement, quelque réconfort, quelque
confort tout court qu'ils apportent à l'homme vieillis-
sant, qu'ils sont autant de malentendus. Jean Cocteau
devient chevalier de la Légion d'honneur en 1949. Peu
auparavant, commence pour lui l'ère des déplacements
officiels, où, fidèle à la mission dont il se sent investi,
celle de représenter la civilisation française dans ce
qu'elle a de plus vif et de plus aigu, Cocteau s'adresse
non plus à des individus, mais à des nations : la *Lettre
aux Américains* est de 1949, de la même année *Maalesh*,
journal de la tournée triomphale qui l'a conduit avec sa
troupe en Égypte, au Liban et en Turquie ; *Maalesh*
contient des jugements pleins de bon sens sur les pays
traversés, mais qui n'auront pas l'heur de plaire aux
intéressés.

*

Après tous ces exploits, il lui suffirait désormais de se laisser vivre, d'adopter peut-être un rythme moins rapide. En 1950, il a soixante et un ans. Mais il « ne peut rester tranquille », ses mains ont besoin d'être occupées. Et, fidèle à son tempérament, il entend, une fois de plus et comme toujours, recommencer et gagner ainsi une nouvelle jeunesse. Depuis *Le Potomak*, il dessine, et son coup de crayon a la même valeur incisive, l'exprime aussi bien que son trait de plume. Il a ainsi fait revivre les fantômes de son enfance et de sa jeunesse, représenté ceux qu'il a aimés, donné visage aux personnages de son œuvre, à ses obsessions familières. Dès 1948, il exécute son premier carton de tapisserie, *Judith et Holopherne*, mais c'est à partir de 1950 que, réinstallé sur la Côte, grâce à l'hospitalité permanente de Mᵐᵉ Francine Weisweiller, profitant d'un repos devenu nécessaire après tant d'années si chargées, il commence sa carrière de peintre. A peine installé à la villa Santo-Sospir, il y peint les murs [1]. Ce travail manuel lui fait du bien et l'enchante, il cherche une technique qui lui convienne et redécouvre celle, ancienne, de la peinture au lait. Il s'essaie aussi aux crayons de couleur, aux pastels, et expose ses dessins dans une galerie à Nice. Et Cocteau se lance dans cette nouvelle entreprise dont il ne se déprendra plus et qui l'amènera quelques années plus tard à décorer chapelles et monuments publics. Picasso n'habite pas loin, les deux hommes se rapprochent et retrouvent leur amitié de jadis.

*

Pourtant, dans cette relative accalmie, dans ce confort matériel, dans cette atmosphère de vacances, de soleil et de mer, Jean Cocteau n'abandonne pas l'écriture, ou plutôt l'écriture ne l'abandonne pas. Fatigué de

---

1. En 1932, non loin de là, à Tamaris, il avait déjà décoré la villa des Bourdet.

peindre, il écrit. En plusieurs périodes de sa vie, particulièrement critiques, il a pris au jour le jour des notes
qui sont devenues : *Opium. Journal d'une désintoxication,
La Belle et la Bête. Journal d'un film*, qui vont devenir
le *Journal d'un inconnu*, publié en 1952; à Santo-
Sospir, en 1951, il commence un vrai Journal, qu'il
intitule *Le Passé défini*, et qu'il tiendra régulièrement
jusqu'à sa mort [1]. On pourrait croire qu'il va se consacrer exclusivement à cette œuvre patiente de mise au
point, nécessairement posthume, quand surgit tout
à coup une nouvelle pièce, *Bacchus*, écrite en quelques
jours. Rien, ne semble-t-il, ne l'annonçait, puisque, peu
de semaines auparavant, dans les *Entretiens autour du
cinématographe* avec André Fraigneau, son interlocu-
teur des précédents *Entretiens*, diffusés par la radio en
janvier-mars 1951, lesquels accrurent considérablement
le rayonnement de son œuvre et lui valurent, venus de
toutes parts, d'innombrables témoignages de sympathie,
Cocteau répondant à la question : « Que préparez-vous ? »,
déclarait : « Rien. Peut-être ai-je fini. Peut-être ai-je
dévidé la pelote. Peut-être est-ce une halte. Il faut
attendre. Je pourrais écrire des pièces, des livres, des
films. Mais je m'y refuse... Pour me mettre au travail,
il faut que j'en reçoive l'ordre. Cet ordre vient de moi,
d'un moi dont je ne connais ni les aptitudes ni les méca-
nismes. Le moi qui vous parle n'en est que le véhicule.
Comme j'ai été malade, il est possible que le véhicule
déplaise momentanément à ce moi inconnu. »

C'est donc sur ordre, sur un ordre soudain, imprévu
que fut écrite cette pièce en trois actes qui se passe dans
l'Allemagne de la Réforme, et dont Cocteau, comme
il lui arrive si souvent, est bien en peine de déterminer
l'exacte signification [2], et assurément ne s'attend guère
à celle que va lui donner François Mauriac qui, le soir
de la première (20 décembre 1951) quitte la salle en

1. Sept ans après, *Le Passé défini* est encore inédit.
2. Ses hésitations sont visibles dans la préface à l'édition de *Bacchus*.

proie à une sainte colère, et dans le suivant numéro du *Figaro littéraire* accuse Cocteau de blasphème. Celui-ci riposte, en taxant Mauriac d'hypocrisie. Devenue publique, la querelle s'envenime par l'intervention des tiers. Toute cette affaire attriste Cocteau et le dégoûte ; jamais plus il n'écrira pour le théâtre [1].

*

Peut-être cet incident et l'échec relatif de *Bacchus*, lequel quitte peu après la scène, contribuent-ils à ramener Cocteau à cette démarche tout intérieure, dont il se laisse si facilement détourner, parce qu'elle est ardue et solitaire. *Neiges. Un ami dort* (1948) n'apportait, de ce point de vue, qu'une conclusion nouvelle à l'ancienne aventure, celle qu'exprime *Plain-Chant ; Le Chiffre sept* (1952) marque le début d'une nouvelle étape, celle qui va conduire le poète vers les ultimes sommets, vers la zone de neige et de silence, où il s'engagera seul et disparaîtra. Mais *Le Chiffre sept* n'est encore qu'opération préliminaire, vocalises où le poète essaie et assure sa voix. Par contre, un an plus tard, dans les deux recueils dont la composition se suit, et même interfère, *Appogiatures*, qu'il publie la même année (1953), et *Clair-Obscur* qui verra le jour un an plus tard (1954), Cocteau aborde de plain-pied un domaine ésotérique, de manière objective dans le premier, où il constate sans les expliquer, en de très brefs et très dépouillés poèmes en prose, un peu à la manière des peintres Zen, l'étrangeté des phénomènes que sont les projections cosmiques d'une vie intérieure parvenue à ce point extrême où le moi s'abolit, où l'être devient transparent à lui-même, pur regard, pure participation, tandis que, subjectivement, *Clair-Obscur* exprime à la lumière de cet avancement spirituel, les étapes qui l'ont conduit jusqu'à ce point

---

1. Sauf quelques adaptations et un divertissement, *L'Impromptu du Palais-Royal*.

de vue, plus élevé, plus détaché, d'où il regarde le monde d'un œil neuf, comme, sur un registre plus profane, il le considère dans le fameux chapitre « Des distances » du *Journal d'un inconnu*.

*

Infatigable, Jean Cocteau, à soixante-quatre ans, ne connaît encore nul repos, jusqu'au jour où la mort — dont il vient de célébrer dans *Clair-Obscur* la beauté, dont il vient d'écrire : « C'est pourquoi je n'ai pas peur d'elle / Puisqu'elle est autre qu'elle n'est » — frappe son premier coup, lequel, comme dans ses films, comme, en particulier, dans *Le Testament d'Orphée* (1959), se mue en applaudissements, ceux qui en 1955 l'accueillent à trois semaines d'intervalle à l'Académie de Belgique puis à l'Académie française, où, bicorné, l'épée au côté, il est reçu en présence de deux reines et de Jean Genet, puis à Oxford, en tant que docteur *honoris causa*, partout entouré de ses deux gardes du corps, Francine Weisweiller et Édouard Dermit, pareils à des personnages de ses œuvres.

Sensible à cette féerie, la seule que puisse offrir notre société, Cocteau n'en reste pas moins l'artisan laborieux qui, en salopette, couvre d'admirables graffiti les murs de la chapelle Saint-Pierre à Villefranche (1956), de la salle des mariages de la mairie de Menton (1957), de la chapelle de la Vierge de Notre-Dame de France à Londres, de la chapelle Saint-Blaise-des-Simples à Milly, inaugurées toutes deux à quelques jours d'intervalle, en 1960, et s'initie entre-temps à la poterie, et à la mosaïque.

Cependant, Jean a entendu l'avertissement de 1954. Il est prêt. Il connaît la mort de longue date, elle lui a pris très tôt ceux qu'il aimait, il l'a apprivoisée, il s'y est apprivoisé. Mais il est temps qu'avant de quitter sans regret un monde qui n'est pas fait pour lui, « cette planète arrogante et si inconfortable », il mette en ordre ses affaires, qu'en sa présence et sous sa garantie, il dessine sa dernière image, l'image de celui que sur le seuil il est devenu, son portrait d'éternité.

Ses dernières œuvres sont des testaments. Déjà, au milieu de la pompe officielle, ses *Discours* condensaient et réduisaient à l'essentiel le message : *Le Testament d'Orphée* est au cinéma une conclusion, l'illustration d'un traité de « phénixologie », film alchimique où les mots deviennent images, où les images sont les transmutations d'un destin, la représentation visible d'une aventure invisible.

Mais il faut que la mort frappe un second coup, en janvier 1959, pour que Cocteau, allongé, écrive, « faisant la planche sur le fleuve des morts », en caractères indéchiffrables, son testament poétique, son *Requiem* (1962), son repos, son seul repos, la mort, où il entre vivant le 11 octobre 1963.

CHAPITRE II

MYTHOLOGIQUES

> *Toute œuvre qui n'est pas*
> *véhicule volontaire ou involontaire*
> *d'aveux est du luxe. Or le luxe*
> *est pire qu'immoral, il ennuie.*
>
> (Essai de critique indirecte.)

Conscient, extraordinairement, de l'obscur travail qui en lui s'accomplissait et, le moment venu, expulsait des œuvres, Jean Cocteau savait que la signification la plus profonde de celles-ci ne pouvait que lui échapper. Parlant un jour [1] des études que lui consacrèrent quelques psychanalystes, il remarque : « Ces articles m'amusaient, je les trouvais inexacts, mais à la longue je me suis rendu compte que ce sont peut-être les psychiatres [2] qui ont raison puisqu'ils nous apprennent des choses sur nous-mêmes que nous ne savons pas, qu'un poète ne sait pas exactement ce qu'il fait et qu'il est très possible qu'il fasse tout autre chose que ce qu'il croit faire [3]. »

---

1. Avec André Fraigneau, dans les *Entretiens*, radiodiffusés en 1951.
2. En fait, les psychanalystes — Cocteau vient de parler de Freud, mais pour lui les deux termes étaient synonymes.
3. L'édition que nous utilisons (en 10/18) imprime : « que ce qu'il *doit* faire ». Il s'agit, selon toute vraisemblance, d'une erreur — faute d'impression plutôt que lapsus —, Cocteau n'a certainement jamais pensé avoir fait autre chose que ce qu'il devait faire.

Il ajoute, à propos de *La Machine infernale* : « Là, il faudrait peut-être un psychiatre [1] parce que dans toutes mes œuvres il doit y avoir un fil très mystérieux qu'on retrouve. C'est un fil tendu à travers les œuvres.

« Le public voit les choses hachées parce qu'il connaît une œuvre et en ignore d'autres. Mais si on avait toutes les œuvres à la suite on verrait le fil. »

Jean Cocteau pensait donc qu'un examen de son œuvre qui s'aiderait de la psychanalyse serait non seulement légitime, mais utile, à condition toutefois qu'il porte sur l'ensemble des œuvres et non sur une œuvre isolée, réserve non seulement justifiée mais absolument nécessaire, car, ainsi que nous l'avons déjà montré, chez lui tout se tient, et fort étroitement, quelques thèmes insistants parcourent l'œuvre de bout en bout, leur réapparition n'est jamais gratuite, chacune d'elles marquant un point d'une évolution, celui qu'a entre-temps atteint le poète.

Sans doute, avec peu d'œuvres, un tel travail de déchiffrement, de lecture entre les lignes, d'écoute de la parole non écrite, qui se trouve sous la parole écrite et que celle-ci dissimule, promet-il d'être à la fois plus aisé, plus fécond, plus nécessaire, puisque, en fin de compte, ce que Cocteau mettait au jour, c'était, il le devinait, il le savait, des messages issus de son inconscient [2], mais qui, comme dans les rêves — et depuis le réveil à l'envers du *Potomak*, il s'était voulu rêveur éveillé — ne peuvent émerger dans le conscient qu'à la condition de s'y présenter déguisés, travestis. Et, bien entendu, le poète, outre qu'il ne s'en souciait guère — ce n'était nullement sa tâche —, était la dernière personne qui pût décrypter ces messages, puisqu'il était aussi pour

1. Ici encore un psychanalyste. Cocteau voyait juste, *La Machine infernale* étant, entre autres choses, l'exposé de sa conception particulière du complexe d'Œdipe.

2. Ou plutôt de son préconscient, puisque l'inconscient est par essence inatteignable. Toutefois, dans la suite du texte, nous emploierons comme lui le mot inconscient.

lui-même sa propre censure, l'origine et la cause de ces
travestissements.

Un tel travail, aussi attirant que périlleux, serait ici
déplacé. Par contre, une étude de l'œuvre de Cocteau,
qui entend ne pas s'en tenir aux vues les plus superfi-
cielles et les plus ressassées, se doit, considérant « toutes
les œuvres à la suite », d'essayer de trouver ce « fil très
mystérieux », de l'isoler et ainsi de le faire voir.

*

Toute œuvre d'importance s'organise autour d'un très
petit nombre de leitmotive qui s'articulent entre eux
et convergent d'ailleurs vers un thème central unique,
archétypal, qui en constitue le noyau, et demeure, lui,
invisible, inexprimable. Cette structure en étoile est
particulièrement nette dans l'œuvre de Cocteau, où
l'extrémité des branches est, quelle que soit leur distance apparente par rapport au centre, toujours irri-
guée par un courant venu de lui et y est si étroitement
reliée qu'on pourrait de n'importe quel point remonter
jusqu'à cette origine obscure et rayonnante.

Toutefois c'est là où les artères et les veines sont les
plus visibles, et leur trajet le plus nettement dessiné,
qu'il convient de poser le doigt, afin de sentir la circulation du sang, la vibration qui anime tout l'organisme.
Ce point de plus haute, de plus directe communica-
bilité, c'est évidemment son théâtre, car s'y présentent
les mythes eux-mêmes. Ici, ils s'incarnent matériel-
lement et dans des personnages dont le créateur sent
qu'ils lui échappent pour mener leur vie propre qui est
justement cette situation conflictuelle qu'est dans son
essence le théâtre, re-présentation d'un conflit intérieur
extériorisé, comparable à ce qu'est, pendant une cure
psychanalytique, le « retour du refoulé ». Or l'œuvre
entier de Cocteau est bien, et d'un bout à l'autre, une
auto-analyse. Il connaissait fort bien le caractère cathar-
tique du théâtre, il l'avait, avec une force extrême, dès

l'enfance éprouvé : « Je deviens le spectacle auquel j'assiste », écrit-il dans *La Corrida du 1er mai*. Il savait aussi que ce pouvoir atteint son maximum d'intensité pour le dramaturge lui-même, lequel, se donnant en spectacle, satisfait cet exhibitionnisme que Cocteau plaçait à l'origine de toute œuvre d'art, fait d'autrui son involontaire complice et se soulage ainsi, sur des anonymes qui n'y verront que du feu — c'est-à-dire ce qu'il y a justement à y voir — d'un secret, d'une solitude qui lui pèsent. Si Cocteau a écrit la plupart de ses pièces d'une traite, sans reprendre souffle, et dans un état de tension extrême, c'est qu'en effet se sont brusquement présentées à sa conscience les situations vitales inconscientes, ou plutôt que celles-ci venaient de trouver dans sa conscience le moule dans lequel elles pouvaient se couler. Mais ce secret ainsi confié à la masse du public ne peut d'aucune façon être exposé tel quel, sinon il ne s'agirait pas d'un véritable secret, mais d'une simple confidence, aussi indiscrète soit-elle, c'est-à-dire un secret qui n'en est pas un pour l'auteur ; il ne peut, puisqu'il ne se présente à la conscience que travesti, n'être révélé que sous le couvert. D'où l'affirmation, répétée par Cocteau, dans plusieurs préfaces, qu'il ne comprend pas lui-même leur signification, qu'elles lui restent étrangères.

*

Le litige le plus intense, le plus profondément enfoui dans le psychisme est évidemment le conflit originel et universel, le conflit œdipien. Nous avons vu plus haut la nécessité de l'exprimer qui avait depuis toujours hanté Cocteau, lequel s'était essayé sous l'ombre de Sophocle à de multiples transcriptions : *Antigone* (1921), *Œdipe roi* (1925), *Œdipus rex* (1925), avant d'être en mesure d'en donner sa version personnelle, *La Machine infernale* (1934), nous avons aussi fait remarquer les difficultés qu'il rencontra pendant des années à l'écrire.

L'examen des modifications que Cocteau a fait subir
au mythe, tel que l'expose son prédécesseur et modèle,
est singulièrement révélateur, ainsi d'ailleurs que l'ordre
dans lequel les quatre actes furent écrits, puisque le
dramaturge recula le plus possible la composition de
l'acte III, *La Nuit de Noces*, qui est la consommation
de l'inceste.

Œdipe — le Poète — est puni pour la réalisation
— fantasmatique — de ses désirs incestueux et son
châtiment correspond à une castration : tu as aimé ta
mère, tu ne pourras désormais plus aimer. Œdipe devient
ainsi identique à Tirésias, le devin, dont la légende nous
apprend qu'il perdit sa virilité pour, ayant rencontré
deux serpents qui s'accouplaient, les avoir tués, et qu'il
ne la recouvra que beaucoup plus tard, quand il rencontra les mêmes serpents enlacés, perspicace symbole
de la mythologie grecque qui exprime un autre aspect
du conflit œdipien, puisqu'il donne à entendre que c'est
parce qu'il avait refusé, et détruit, l'image de l'union de
ses propres parents, personnifiés par les serpents, que
Tirésias perdit ce qu'il ne regagna que lorsqu'il l'eut
acceptée. Or c'est précisément là ce que, à son insu,
Œdipe refuse, puisqu'il tue son père. Il n'est donc pas
surprenant que Tirésias joue un tel rôle dans *La Machine
infernale*, où on peut le soupçonner d'avoir été l'amant
de la reine, c'est-à-dire de la Mère. Castré, aveugle et
voyant, ancien amant de Jocaste, Tirésias est comme la
matérialisation du fantôme du père — les morts n'ont
plus ni sexe ni yeux, ils voient cependant l'invisible —,
son apparition menaçante, juste avant l'instant où
l'inceste va être consommé, où Œdipe va prendre sa
place. Dès lors, la cause de l'angoisse qui saisit Œdipe,
de sa fureur en face de cet oiseau de mauvais augure se
comprend fort bien sous le prétexte qui leur est donné.
Aussi qu'Œdipe porte la main sur le vieillard et que
celui-ci le traite d' « assassin » et de « sacrilège ».

Malgré ces avertissements, Œdipe persévère, l'acte
accompli engendrera plus tard son inévitable consé-

quence, qui s'annonce déjà ici, dans la scène avec Tirésias, où Œdipe voit dans les yeux aveugles du devin son
propre avenir, mais seulement son avenir immédiat,
car lorsqu'il tente d'y déchiffrer le futur lointain, sa vue
s'obscurcit et c'est lui qui, pour un moment, devient
aveugle, comme si Tirésias lui avait communiqué sa
cécité, l'avait puni, ainsi que l'explique le devin, pour
avoir voulu « lire de force ce que contiennent ses yeux
malades, ce que lui-même n'a pas déchiffré encore ».

Ainsi le dénouement s'impose-t-il de lui-même. A
l'acte IV, dix-sept ans plus tard, c'est Tirésias, lequel
de longue date connaît tout le drame et s'est tu, qui
le dévoile devant Œdipe horrifié, quand l'arrivée du
messager venu annoncer la mort du roi de Corinthe,
en qui Œdipe a vu jusqu'alors son père, rend nécessaire
cette révélation. C'est encore Tirésias qui lui confie son
bâton d'augure et fixe son destin. Car Tirésias est Laïus.
Et Œdipe, les yeux crevés, devenu par là invisible, et
qui en effet disparaît, est devenu par l'inceste, comme
Tirésias, un aveugle qui voit, c'est-à-dire un être qui
n'appartient plus à ce monde-ci, mais déjà à l'autre, un
mort vivant, un fantôme, autrement dit son propre
père. Mais en ce monde nouveau pour lui, dans lequel
il avance à tâtons, la première personne que rencontre
Œdipe est Jocaste, sa mère, la seule qui puisse prendre
soin de lui et le guider, de telle sorte que l'union de la
mère et du fils se reconstitue, qu'elle n'est véritablement possible que dans la mort. C'est seulement dans
la mort que peut se satisfaire le désir réciproque et
refoulé, l'union de la Mère et du Fils, c'est seulement
dans cet autre monde que le Fils peut enfin réaliser ce à
quoi il n'a pu parvenir de son vivant, l'identification avec
son Père. Œdipe étant devenu son père, l'inceste serait
donc annulé, si Jocaste ne s'identifiait à son tour avec
Antigone, ne devenait sa propre fille, car l'inceste ne
peut ainsi se terminer, il ne peut que se répéter à l'infini,
remplir le temps de ses échos.

*

Ce thème œdipien, Jean Cocteau le reprendra plus
tard et sur deux plans différents, en 1938 dans *Les
Parents terribles*, en 1946 dans *L'Aigle à deux têtes*.
Très différent à tous égards de *La Machine infernale*,
le drame « héraldique » de 1946 n'en met pas moins en
scène une situation comparable, mais dont les modalités
particulières révèlent le travail souterrain qui s'était
accompli dans le psychisme du poète, du fait sans doute
de son évolution personnelle, du fait aussi qu'à cette
date sa mère était morte, ce qui d'une certaine manière
avait certainement ravivé le conflit œdipien, et avait
rendu nécessaire qu'il l'exprime à nouveau, mais aussi
lui permettait d'en découvrir plus librement la solution.
Or celle qu'expose *L'Aigle à deux têtes* est des plus
singulières.

Si, dans le jeune anarchiste qui s'introduit chez la
reine pour la tuer, il convient de reconnaître, comme elle,
le sosie du roi défunt, son époux, qui, alors qu'elle a
vieilli, a, lui, conservé dans la mort l'âge qu'il avait lors
de ses noces et de son décès, et qui, de ce fait, est devenu
en quelque manière son fils, si, par ailleurs, Stanislas
joue le rôle de ce fils que le couple royal n'a pas eu, et
depuis toujours aime la reine inaccessible, laquelle est
un substitut de cette mère qui réciproquement lui a
manqué, si de son côté la reine le considère inconsciemment comme le substitut du roi et donc désigné par le
destin pour accomplir enfin ce que le roi n'a pu accomplir de son vivant, c'est-à-dire faire d'elle sa femme, la
situation œdipienne inconsciente est portée ici à son
paroxysme, puisque ce que fantasmatiquement désire
l'enfant, c'est d'exclure son père non seulement dans le
présent, mais dans le plus lointain passé, celui où il
n'existait même pas, de l'abolir dans son rôle de père
et d'époux, et de s'unir à sa mère restée vierge. L'union
des deux protagonistes est donc ce qu'il y a au monde
de plus désirable, mais aussi ce qu'il y a de plus interdit,

elle est de surcroît impossible, ce que traduit ici entre
autres la distance sociale infranchissable qui sépare la
reine de l'anarchiste.

Pour l'inconscient, la situation mise en œuvre dans
L'Aigle à deux têtes est beaucoup plus satisfaisante
que celle qu'expose *La Machine infernale* puisqu'elle
élimine jusqu'à la frustration qui consiste en ce que le
fils peut au mieux prendre la place du père, lui succéder,
alors qu'il souhaiterait le supprimer rétroactivement en
tant qu'époux de la mère. Seulement, dès lors l'amant
ne peut plus être le véritable fils, puisque celui-ci est né
précisément de l'union de ses parents. Et la solution
est en conséquence elle aussi toute différente. Si Œdipe
et Jocaste consomment effectivement l'inceste et meurent — aveugle, Œdipe n'est plus, nous l'avons signalé,
qu'un mort vivant —, l'union dans *L'Aigle à deux têtes*
s'accomplit par l'acte même qui tue les héros et se
confond avec leur mort. Stanislas qui s'est empoisonné
« la poignarde entre les épaules ». Il faut noter que le
fils assassin est ici innocenté. C'est la reine elle-même qui a
tout voulu, tout machiné, c'est elle qui, en l'accablant
de son mépris, l'a conduit à absorber le poison, qui non
seulement l'a incité à la tuer, mais l'y a véritablement
obligé. Lorsqu'on connaît le reste de l'œuvre, on a le
sentiment en voyant ou en lisant *L'Aigle à deux têtes*
qu'à force de pousser sur l'échiquier du théâtre les pièces,
qui sous des travestis divers, sont en somme toujours
les mêmes, puisqu'il s'agit des personnages archéty-
piques, Cocteau a enfin découvert le coup qui fait la
reine — et non le roi, qui est, lui, déjà hors jeu — échec
et mat. Aussi bien n'eut-il plus à y revenir. Dans sa
seule et dernière véritable réapparition au théâtre,
Bacchus, c'est significativement la mère qui est absente, le duc est depuis longtemps veuf, Hans est séparé
de sa mère par son nouveau destin.

*

La Machine infernale et *L'Aigle à deux têtes* se dé-
roulent dans un cadre « héraldique », comme dit Cocteau,
dans un temps mythique, *Les Parents terribles* se passent
de nos jours et dans un cadre familier. La transposition
ici se rapproche. Et, bien que les rapports de la mère et
du fils soient en partie nés des confidences de Jean Marais,
lequel précisément joua au théâtre le rôle de Michel,
celles-ci n'ont fait que raviver en Jean Cocteau le souvenir de ses propres relations avec sa mère et plus précisément, à l'époque où, âgé de vingt ans, il fréquentait
Madeleine Carlier, où, à l'insu de sa mère, il habitait
l'hôtel Biron, ce que celle-ci un jour découvrit et obligea
son fils à réintégrer le domicile maternel, époque qu'il
a précédemment évoquée dans *Le Grand Écart*.

Mais, alors que dans le roman, la mère, Mme Forestier,
est seulement celle auprès de qui Jacques meurtri
se réfugie après le drame auquel elle n'a pris aucune part,
qu'elle a même ignoré, alors qu'elle y joue un rôle positif, bénéfique, un vrai rôle de mère, dans la pièce Yvonne
met tout en œuvre — menaces, larmes, chantage sentimental — pour s'interposer, feint même de mourir —
et finalement, prise à son propre jeu, meurt — de s'être
vu préférer une rivale. Yvonne est véritablement une
mère abusive. Il est significatif que Cocteau n'ait peint
ce personnage qu'en 1938, alors que sa propre mère,
fort âgée — elle avait plus de quatre-vingts ans et devait
mourir deux ans plus tard —, vivait réfugiée dans le
passé et traitait son fils, qui avait presque cinquante ans,
comme le petit garçon qu'il avait été.

Dans *Les Parents terribles*, Michel a en fait deux mères,
la languissante Yvonne, mais aussi l'énergique Léo,
sœur d'Yvonne, ex-fiancée de Georges, son mari, et qui
est donc le double d'Yvonne — mais un double vierge,
une mère vierge. Ce dédoublement n'est pas seulement
utile à l'action dramatique, il procède, comme toujours
chez Cocteau, d'une nécessité intérieure. Si Yvonne n'est

pas la mère de Jean Cocteau — mais possiblement celle
de Jean Marais —, Yvonne plus Léo reconstituent à
elles deux Mme Cocteau, celle qui gémit, mais aussi
celle qui « prend les choses en main », rôle que, veuve
et ayant perdu ses parents, sa mère a dû assumer
pendant l'enfance et la jeunesse de Jean. En sens contraire, cette fusion de deux personnages a une signification que l'auteur ne pouvait soupçonner et qui dénonce une des particularités majeures de sa situation
psychique, la mère qui en résulte est à la fois la mère
« bonne » et la mère « mauvaise », c'est-à-dire ce personnage ambivalent qu'est pour le très jeune enfant, la
mère, qui nourrit, mais qui châtie, avant que dans son
champ de vision soit apparu le personnage du père,
situation archaïque qui est celle des premiers mois de
la vie, lorsque la mère qui est seule avec l'enfant remplit à la fois les deux rôles, est l'unique « objet » de l'enfant, l'unique objet de son amour et de sa haine. C'est
donc vers cette situation archaïque, mais reconstituée
plus tard, à la mort de son père — quand Jean avait
neuf ans — que l'auteur des *Parents terribles* aspire
inconsciemment à retourner, situation où le père
n'existe pas encore — ou n'existe plus — il existe bien
dans la pièce, mais singulièrement effacé et, nous le
verrons, humilié — situation que symbolise fort bien
cette chambre étouffante où se déroule la plus grande
partie de l'action, cet appartement clos, la « roulotte »,
c'est-à-dire, en dernière analyse, le ventre de la mère.

Mais cette chambre, Michel est précisément en train
de la quitter. Il tente de se séparer de sa mère, de naître
une deuxième fois. Et, ici encore, nous retrouvons Jean
Cocteau à vingt ans, lors de son aventure avec Madeleine
Carlier, et l'échec final de cette tentative d'indépendance,
le retour dans l'appartement maternel. A travers cette
pièce, le préconscient imagine une autre solution :
Michel gagne bien sa liberté, mais il la paie aussitôt
de la mort de sa mère. Quitter sa mère, partir avec une
autre femme aurait été pour Cocteau la tuer, et ceci

explique en grande partie son comportement. Mais,
car l'inconscient est retors et revient au point d'où
il a semblé s'écarter, et qui, pour lui, seul importe,
Madeleine, la jeune femme qui porte dans la pièce
le prénom de celle que Cocteau a aimée, a d'abord été
la maîtresse du père, c'est donc de son père que Michel
prend la place, et doublement, puisque la conduite de
Georges qui trompe sa femme autorise le fils à tromper
sa mère, qui est la même personne. Or pour l'enfant,
pour l'inconscient, il s'agit toujours de prendre la place
du père auprès de la mère. De telle sorte que, grâce à
ses allées et venues du réel au fantasme, se réalise en
fin de compte la situation œdipienne.

                              *

   Quelle que soit donc la solution trouvée par l'inconscient au problème œdipien, à l'énigme du sphinx,
elle implique toujours la mort, et même, si possible, la
mort simultanée des deux amants. L'amour parfait,
l'amour total ne peut se réaliser que dans et par la
mort, car l'amour parfait ne peut être que l'accomplissement de l'inceste, c'est-à-dire du désir originel, ne
peut être que le retour dans le sein de la mère, et donc
dans la pré-vie. On comprend mieux dès lors pourquoi
Cocteau s'est attaché aux mythes qui illustrent cette
conception : celui de Tristan et Yseult, qu'il a fait
revivre au cinéma dans *L'Éternel Retour*, celui de *Roméo
et Juliette*, qu'il l'ait reproduite dans un si grand nombre
de ses œuvres. Dans la pièce *Orphée*, Orphée et Eurydice
qui dans la vie se disputent ne peuvent s'aimer qu'au
royaume des morts ; lorsqu'ils en reviennent, ils sont
obligés d'y retourner ; dans *Renaud et Armide*, l'enchanteresse accepte le baiser du roi, elle sait pourtant que
ce baiser va la tuer ; dans *La Belle et la Bête*, le domaine
de la Bête est celui de la Mort, et la Bête en est, entre
autres, l'incarnation, Belle apprivoise sa propre mort,
cessant de la craindre, elle la voit enfin comme le fiancé

beau comme le jour qui finalement l'enlève avec lui
au ciel.

*

Situation pour lui si critique et si attirante qu'il en
vint, dans une de ses dernières œuvres, *La Corrida du 1ᵉʳ
mai*, à la projeter sur un spectacle qui en semble aussi
éloigné que possible, la course de taureaux. Assistant
le 1ᵉʳ mai 1954 à une corrida dans les arènes de Séville,
ayant sur les genoux la *montera*, la toque noire du
matador Damaso Gomez, lequel lui avait dédié le taureau qu'il allait combattre, Jean Cocteau se sentit par
ce contact initié à ce jeu de mort, il « devint, nous
dit-il, le spectacle auquel il assistait », il en éprouva
un choc tel qu'il en vint après coup à se demander si
celui-ci n'avait pas été à l'origine du premier infarctus
du myocarde qui suivit de très peu ce voyage espagnol.
Ce choc, on comprend fort bien qu'il l'ait ressenti
violemment, lorsqu'il nous livre le secret qu'il a
trouvé.

« L'héroïne de la tragédie », c'est la « Dame Blanche »,
la mort elle-même, « dont le matador est le héros à qui
elle délègue un ambassadeur extraordinaire, cet animal
sacrifié d'avance, chargé de négocier leurs noces (noces
les plus étranges et les plus obscures qui soient) ». Plus
loin, il précise : « Le taureau doit donc être considéré
comme un ambassadeur extraordinaire de la mort. Il
devra conclure les épousailles. C'est de la Dame Blanche
que je parle lorsque je parle du taureau, puisqu'elle
lui délègue ses pouvoirs et n'épousera que le torero que
le taureau tue.

« Ces innombrables prétendants qui se présentent
sont attirés par l'honneur redoutable d'être admis et
savent à merveille que le taureau n'est qu'un double,
un animal qui représente une femme. »

Lorsqu'il en arrive à la mise à mort, Jean Cocteau
écrit : « Et le torero voit lentement s'approcher le vaste

dispositif des cornes avec le seul point entre elles où il lui sera possible d'enfoncer la pointe. » Ce qui éveille en lui le souvenir d'un accident de voiture et, curieusement, celui de sa mère : « Le mur s'approchait de moi avec une majestueuse lenteur tendre de joue maternelle et je revoyais ma mère distraite approcher jadis la sienne et me dire : " Tu dois avoir quelque chose à me demander. " Et de cette joue maternelle je distinguais le moindre pore de peau à la loupe. »

Le matador, qui a tissé entre eux ce lien est le représentant du poète dans l'arène, comme le taureau est celui de la Dame Blanche, est la Dame Blanche, la mère, la mort. Ce à quoi Cocteau assiste, ce sont donc, par personnes interposées, ses propres noces avec sa mère. Mais par personnes interposées, en effet, il n'est que le spectateur de l'acte : « Mon esprit devint le couple et pénétra des secrets que j'eusse été bien incapable de surprendre sans le phénomène qui me métamorphosait en acte », phrase qui décrit précisément l'attitude de l'enfant qui observe ce qu'il ne devrait pas voir ; ce à quoi il assiste, c'est à l'union du père et de la mère.

Toutefois, le taureau, ambassadeur de la mère, incarnant la force virile, le matador, le père, du même coup, se féminise : « A la fin de l'acte d'amour, il faudra que le mâle change de sexe et, par sa grâce et son uniforme de danseur, redevienne la femelle qui tue. » Finalement, la relation homme-taureau, qui avait d'abord été celle au cours de laquelle l'homme met à mort la femme, puis était passée par un stade d'équilibre — implicitement homosexuel : matador et taureau sont deux mâles — , redevient finalement la première relation, mais inversée : c'est en définitive la femelle qui tue.

Décrivant ainsi ce qu'il considère comme le secret de la corrida, Jean Cocteau libère en fait les fantasmes qui l'obsèdent.

*

A la fin des *Enfants terribles*, Paul s'empoisonne,
Élisabeth se tue ensuite d'un coup de revolver. La
chambre ici n'est plus celle de la mère comme dans
Les Parents terribles, mais celle des enfants : il ne s'agit
plus des relations entre enfants et parents, mais des
rapports entre les enfants, livrés à eux-mêmes. Quand
commence l'action, ils sont orphelins de père, leur mère
est comme morte, elle succombera bientôt.

Nous avons déjà brièvement indiqué à quelle vrai-
semblable source autobiographique s'alimentait ce
roman. Ce n'est là que le point de départ : l'intimité entre
la grande sœur et le grand frère, telle que l'imagine le
« petit dernier ». Ce que nous devons nous demander
maintenant, c'est ce qu'en a fait Cocteau, quels dévelop-
pements il a donnés à cette situation originelle. Par une
singulière malice du sort, la plupart des lecteurs y ont
vu ce qu'il n'avait pas voulu y mettre, mais qui, à son
insu, est bien là, sous-jacent, l'inceste fraternel [1].

Paul est le frère aîné dans sa relation avec sa sœur,
tandis que Jean est Gérard, le spectateur médusé de
leurs ébats, auxquels il est trop petit pour participer.
Si, dans le roman, Gérard et Paul ont même âge, sont
camarades, c'est là une réalisation de désir : Jean aurait
bien voulu pouvoir être le confident de son frère, ce que
la différence d'âge rendait impossible ; rappelons
d'ailleurs que Gérard (Jean) aime Paul, un peu de la
même manière que Paul aime Dargelos. Mais, dès le
moment où apparaît Dargelos, Jean, introduisant entre
le frère et la sœur son aventure personnelle, s'identifie à
Paul. En conséquence, l'auteur est personnifié par deux
personnages exprimant deux possibilités différentes
du moi : Gérard, le spectateur du jeu, et qui y reste,

1. Jean Cocteau a toujours protesté contre une telle interprétation,
de même qu'il a nié que son œuvre contienne le ferment d'anarchie que
tant de jeunes lecteurs pourtant y ont trouvé : « Ce livre devient le
bréviaire des mythomanes et de ceux qui veulent rêver debout. »
(*La Difficulté d'être*). C'est que, bien évidemment, il s'agissait pour lui
d'une situation dépassée et qu'il s'indignait qu'on s'y attarde.

bien malgré lui, extérieur, Gérard qui aime Paul, puis
son double féminin Élisabeth — comme Paul aime
Dargelos, puis son double féminin, Agathe —, avant de
se laisser marier à Agathe, accomplissant ainsi passivement son destin, échappant de ce fait aux dangers
auxquels s'exposent, auxquels succombent le frère et la
sœur, mais tombant alors dans la banalité du réel, cette
banalité que refuse, qu'évite comme d'instinct Paul,
l'autre possibilité imaginaire du romancier, Paul qui est,
lui, spectacle pour Élisabeth, comme pour Gérard, qui
est donc précisément ce que l'auteur ne peut pas être —
du fait même qu'il est l'auteur, et donc le spectateur
—, mais ce qu'il voudrait être, ce qu'il aurait voulu être.

Paul lui-même ne se contente pas de ce rôle, il a son
propre spectacle, Dargelos, il a reçu ce « coup de poing
de marbre » qu'est la révélation brutale de la beauté,
lui aussi est envoûté, et il en mourra. Car, si, après avoir
reçu la boule de neige, il projette sur Élisabeth ce qu'il
vient d'éprouver pour Dargelos, il n'oublie pas celui-ci,
le retrouve en Agathe, laquelle constituerait en effet la
bonne solution, puisqu'elle est le sosie féminin de
Dargelos.

Mais à cette solution, à la fois comblante, mais aussi
et de ce fait finalement néfaste, comme le démontre
le destin de Gérard, l'autre incarnation du romancier,
s'opposent à la fois Élisabeth, laquelle se trouverait
abandonnée, et, dans l'ombre, Dargelos, qui ne veut
pas lâcher sa proie et, par personne interposée — et
cette personne n'est autre que le double de Paul,
Gérard —, l'empoisonne, quand elle va lui échapper.

Élisabeth est la sœur, elle est aussi la mère — la
mère infirme et comme inexistante, la mère qui meurt
et dont elle prend la place —, mais la mère vierge — son
mariage n'a pas été consommé —, c'est-à-dire le personnage fantasmatique capable de satisfaire au mieux
l'inconscient qui n'a pas résolu la situation œdipienne.
Et c'est elle que nous retrouvons au bout de ce jeu de
miroirs, à la fin de cette perspective. Élisabeth est à la

fois mariée et vierge comme la reine de *L'Aigle à deux têtes*, personnage dont le modèle fut cette impératrice d'Autriche assassinée qui s'appelait justement Élisabeth. Paul s'empoisonne, comme Stanislas, poussé à ce suicide par la reine. Mais, dans *L'Aigle à deux têtes*, la solution finale est pour l'inconscient plus satisfaisante. Paul et Élisabeth se suicident l'un après l'autre, *L'Aigle à deux têtes* combine le suicide et le meurtre, la reine et Stanislas meurent ensemble et en accomplissant, grâce à un symbolisme des plus transparents, l'acte amoureux.

Sur un autre plan, par contre, *Les Enfants terribles* atteignent à une incomparable perfection. Avec une pénétration psychologique et même psychanalytique, qui tient de la divination, mais qui laisse entrevoir surtout les souffrances que dut éprouver Cocteau pour parvenir à une telle connaissance, ce que le romancier nous montre en plein jour, c'est le jeu de l'inconscient, le secret de ce mécanisme qui nous pousse à aimer de reflet en reflet toujours la même image fondamentale, à en investir autrui, à la projeter sur lui, qui, au cas où il n'éprouve pas simultanément un sentiment identique, n'en peut mais, et nous laisse nous enfermer dans « la sourde horreur de l'irréciprocité ».

*

Avant que ne commence le roman, les enfants terribles ont perdu leur père, Œdipe a tué le sien, M. Forestier, le père de Jacques du *Grand Écart* est tout juste mentionné, il n'a aucune existence propre, quant à Georges, le père de Michel dans *Les Parents terribles*, c'est un homme faible, soumis à sa femme et à sa belle-sœur, bien incapable de remplir son rôle de chef de famille, comme le marchand de *La Belle et la Bête*, manœuvré par ses filles [1].

1. Les deux rôles, on le sait, furent joués par le même acteur, Marcel André.

Ce père, tantôt absent, tantôt, comme on dit, effacé, a son équivalent dans la biographie. Cocteau, je le rappelle, perdit son père à neuf ans. Mais, dans son œuvre, le fils est toujours coupable à l'égard du père, même quand il ne le tue pas, coupable évidemment de prendre sa place auprès de la mère. Dans l'inconscient de l'enfant, au moment du complexe d'Œdipe, vouloir être seul avec la mère a pour conséquence, selon une logique très simple, souhaiter la disparition du père. Ce vœu, l'enfant par la suite l'oublie, mais il suffit que son père meure pour qu'il le retrouve et se considère de ce fait comme partiellement responsable de cette mort. Jean Cocteau, enfant sensible et scrupuleux, chez qui, de surcroît, le conflit œdipien n'était pas résolu, dut éprouver à neuf ans un choc extrêmement brutal. Il est frappant que les plus anciens souvenirs que se remémore Jacques Forestier dans *Le Grand Écart* remontent précisément à cette année-là, soit cette fleur d'edelweiss duveteuse et immaculée, qu'il trépigne pour qu'on la lui donne, image de la mère, de la mère vierge, comme, rappelons-le, ces deux femmes mariées et vierges que sont la reine de *L'Aigle à deux têtes*, et Élisabeth des *Enfants terribles*.

Toute culpabilité entraîne dans le psychisme la crainte, mais aussi le désir d'être châtié, et d'être châtié par la personne même envers qui on s'est rendu coupable. Pour l'inconscient, le châtiment par excellence est la castration, la castration par le père qui se venge ainsi sur son fils des désirs œdipiens de celui-ci, la castration souhaitée, puisque le châtiment annulera la culpabilité. Or, on a souligné précédemment le rôle que la castration, sous des déguisements plus ou moins translucides, jouait dans l'œuvre de Cocteau, et tout particulièrement dans les deux pièces où se trouve exposée la genèse de la vocation poétique, *La Machine infernale* et *Orphée*. La morale sauvage et sans rémission du psychisme profond applique le principe brutal : « Œil pour œil, dent pour dent » ; quiconque a, même involontairement, même inconsciemment, souhaité la mort d'un de ses proches est condamné à souhaiter sa propre mort, non seulement afin d'effacer ainsi la faute commise, mais pour retrouver celui qu'on a perdu, et de ce fait annuler la mort elle-même.

Il n'est donc pas surprenant qu'on trouve dans l'œuvre de Cocteau cette familiarité constante avec sa propre mort, ce caractère positif attribué à la mort. Dans cette perspective, l'opiomanie est peut-être explicable, l'opium permettant — ou, tout au moins, donnant l'illusion — de passer de ce monde-ci dans l'autre, d'y retrouver peut-être une présence, de combler en tout cas le vide insupportable qu'a laissé une absence. Selon Cocteau, c'est la mort de Radiguet qui l'incita à fumer. Cette affirmation a été mise en doute par l'un de ses biographes [1], qui a cru déceler des traces d'utilisation de la drogue bien avant cette date. Il est donc possible que l'affirmation de Cocteau soit à la fois vraie et fausse. Fausse, s'il a effectivement fumé auparavant, vraie pourtant, en ce sens que c'est la perte d'un être cher qui l'a conduit là.

Dans *Le Grand Écart*, le romancier évoque un épisode de son adolescence [2] : dans un train de nuit, avec sa mère, il absorbe par erreur « au lieu de poudre de pavot » une dose mortelle de cocaïne, et il connaît alors sa première expérience de la mort. De cette allusion cursive, nous pouvons retenir deux indications : la drogue est un moyen d'approche de la mort — Jean Cocteau adolescent prenait habituellement de la « poudre de pavot », comme somnifère. Il était donc à l'époque insomniaque, or l'insomnie, surtout pour des êtres jeunes chez qui elle est rare, est très souvent causée par une culpabilité inconsciente, elle révèle que le sujet à son insu évite le sommeil, car il craint de retrouver celle-ci sous forme de rêves, de cauchemars. Par contre,

1. Jean-Jacques Kihm, *op. cit.* p. 52 note 3.
2. Dont nous avons déjà fait mention au chapitre I, p. 45.

l'espèce de somnolence que procure la drogue est le
plus souvent — ce sont les réveils qui peuvent être
pénibles — peuplée de fantasmes agréables. Mais la
drogue est aussi un poison. Non seulement elle fait
connaître un état hallucinatoire, où le vivant transporté
dans un autre monde peut s'éprouver comme s'il avait
échappé au monde qu'il fuit, donc comme mort, mais
aussi finalement elle peut à la longue ruiner, tuer.

Or le poison dans l'œuvre de Cocteau joue un grand
rôle : Jacques dans *Le Grand Écart*, Yvonne des *Parents
terribles*, Stanislas de *L'Aigle à deux têtes* s'empoi-
sonnent, mais nulle part ce rôle n'est plus important
que dans la fin des *Enfants terribles*. C'est Dargelos,
on se le rappelle, qui, par l'entremise de Gérard,
fait parvenir à Paul la boule noire, la boule fatale,
qui va tuer celui que la boule de neige a atteint, mais
épargné. Cette « boule sombre de la grosseur d'un
poing » — le coup de poing de marbre de la boule de
neige — où une entaille montre « une plaie brillante, rou-
geâtre » et qui répand un arôme suspect, Paul l'identifie immédiatement : « C'est une drogue. Il se drogue. Il ne donnerait pas du poison. » Et en effet, Dargelos,
selon le rapport de Gérard, fait la navette entre l'Ex-
trême-Orient, le pays de la drogue, et la France.
Dargelos, esprit fort, amateur de sensations rares,
d'aventures hardies, est un drogué, peut-être depuis
le lycée, où, tout au moins, il était déjà curieux de telles
expériences et y aspirait : « Raconte à Boule de neige
que je n'ai pas changé depuis le bahut. Je voulais collec-
tionner les poisons. Je les collectionne. » (Ce qui signifie que la boule est bien du poison, ce que Paul fait
semblant de nier, alors qu'il le sait bien.) Ce goût étrange,
Dargelos l'avait fait partager à Paul : « En classe, dit
celui-ci, je rêvais d'avoir du poison (il eût été plus exact
de dire : Dargelos rêvait de poison et je copiais Dargelos). »
Et lorsque Dargelos retrouve Paul à travers Gérard,
la première question qu'il lui pose est : « Est-ce qu'il
aime toujours le poison ? » Par là, il a barre sur Paul,

et l'on sait que le prosélytisme est une des constantes du comportement des drogués. Il peut reprendre sur lui son ascendant, l'entraîner dans ce monde à part qu'il habite, lui permettre de l'y rejoindre, et, grâce à la boule noire — pendant maléfique de l'hostie [1] — communier avec lui. La boule noire est aussi l'équivalent du philtre d'amour que boivent Tristan et Yseult dans *L'Éternel Retour*.

Mais cette drogue absorbée à haute dose peut devenir un poison. Et c'est en tant que tel que, lorsque Agathe, sosie féminin de Dargelos, lui échappe, croit-il, Paul l'utilise : « Après quatre heures de phénomènes qui lui firent se demander si ce poison était une drogue et si cette drogue à une dose massive suffisait à le tuer... », commencent les visions : « Chaque fois qu'il fermait les yeux, il retrouvait le même spectacle : une tête géante de bélier à chevelure grise de femme, des soldats morts, les yeux crevés... », c'est-à-dire les éléments de *La Machine infernale* [2] : le sphinx, Œdipe les yeux crevés, les soldats du 1er acte. Quelques instants auparavant Élisabeth dans son rêve voit Paul et lui dit : « Paul, tu n'es donc pas mort ? » Et Paul répond : « Si, je suis mort, mais tu viens de mourir ; c'est pourquoi tu peux me voir et nous vivrons toujours ensemble », de même Œdipe, mort-vivant, pénétrant dans le domaine des morts que vient de lui ouvrir sa cécité, y rencontre immédiatement Jocaste et part avec elle.

Ainsi, ce que Paul trouve tout au fond de lui-même, c'est encore la situation œdipienne qu'il n'a pu résoudre, puisque Agathe — qui est à la fois Dargelos et par le

---

1. A l'hostie présentée par les Maritain comme le remède suprême, lors de la crise qui suivit la mort de Radiguet, Cocteau, on s'en souvient, préféra l'opium. Rappelons que c'est en se désintoxiquant qu'il écrivit d'un trait *Les Enfants terribles*.

2. A l'époque où il composait *Les Enfants terribles*, Cocteau n'avait pas encore écrit cette pièce, mais il en eut alors l'idée, *cf. Opium*, où se retrouve à peu près la scène décrite dans le roman — et sans doute à ce moment précis, *La Machine infernale* sort des *Enfants terribles*.

sexe sa propre sœur — lui a été interdite par Élisabeth,
laquelle joue ici le rôle de la mère. C'est donc finalement
vers Dargelos qu'en désespoir de cause, il se tourne,
vers cette communion profane qu'il lui a proposée.
Ainsi, dans la vie, Jean Cocteau qui s'est vu barrer par
sa mère l'accès aux femmes [1] a dû revenir — la psychanalyse dirait qu'il a régressé jusqu'à — aux amitiés
de collège. Mais la drogue contient un autre pouvoir :
contrairement à ce qu'on imagine, il arrive qu'elle ne
soit nullement un aphrodisiaque, mais qu'elle inhibe
toute sexualité effective, quelles que soient par ailleurs
les rêveries qu'elle suscite, et qu'elle supprime momentanément le problème [2]. Tel fut son effet sur Cocteau,
lui permettant d'éluder et pour quelque temps d'échapper à ce qui, en définitive, le faisait tant souffrir. Enfin
et surtout la drogue est pour lui le moyen d'entrer en
communication avec ce monde autre — et autrement
inaccessible —, celui où se trouvent ceux qu'il a aimés
et perdus : au premier rang, Radiguet, mais aussi, plus
tôt, Jean Le Roy — et le rêve d'Élisabeth, à la fin des
Enfants terribles, correspond à l'admirable poème du
Discours du grand sommeil qui s'intitule *Visite*, première
mention dans l'œuvre de Cocteau de ce « retour des
morts », où Jean Le Roy qui vient de mourir (en 1918)
parle au poète —, Radiguet et Le Roy, les deux seuls
êtres capables de lui apprendre l'essentiel [3], parce
qu'ils sont passés de l'autre côté, et, en retrait, dissi-
mulé, le premier être cher qui ait disparu, son propre
père.

Cocteau, voulant expliquer dans *Opium* pourquoi il
se droguait, précise que la drogue venait à bout de ce

---

1. Cf. l'épisode de Madeleine Carlier.
2. Aussi le premier effet de la désintoxication, Cocteau le note dans
Opium, est-il « le retour de la sensualité ».
3. En 1953, Cocteau qui venait de subir son premier infarctus con-
fiait à Jean Denoël : « C'est le contact avec des êtres comme Jean Le
Roy et Radiguet qui m'a permis de voir plus clair en moi et au-delà. »
(Communication personnelle de M. Jean Denoël.)

« déséquilibre nerveux » qu'il a défini ailleurs comme la boiterie du poète, lequel a un pied dans un monde et un pied dans l'autre. Or cette sensation de déséquilibre constant transcrit une situation psychique : l'absence du père [1]. On peut donc penser que pour Jean Cocteau la drogue aurait été un procédé sciemment utilisé pour retrouver l'absent et aussi pour s'identifier avec lui, ce qui était un moyen comme un autre de résoudre le complexe d'Œdipe, lequel en effet doit se terminer par l'identification au père ; mais on peut aussi se demander si ce qui permet de le rejoindre n'est pas précisément ce qui l'a fait disparaître, si Cocteau n'a pas, après leur mort, identifié Le Roy et Radiguet à son père mort qu'ils venaient en quelque sorte de rejoindre, ou plutôt s'il ne s'est pas lui vivant identifié à eux morts et, par leur entremise, ayant lui-même rejoint son père — d'où l'ambiguïté, l'ambivalence du personnage de l'Ange Heurtebise, qui est à la fois Radiguet — et Le Roy —, et aussi Cocteau lui-même, si enfin — et c'est évidemment là une hypothèse tout à fait gratuite, puisqu'on ne peut nullement la prouver [2] — ce n'est pas justement parce qu'il les sentait plus que d'autres mortels que Cocteau a choisi Le Roy et Radiguet, susceptibles de ce fait de pouvoir jouer ce rôle de substituts du père, ou, mieux encore, de messagers auprès du père, à sa place à lui.

Ainsi qu'on le voit, toute tentative d'analyse demeure complexe et ambiguë, mais cette complexité, cette ambiguïté, se trouvent dans la vie, dans l'œuvre de Jean Cocteau, et ne peuvent être réduites sans passer à côté de la vérité, de sa vérité. Elle est cependant indispensable pour cerner ce personnage fuyant, à la

---

1. Pascal se plaignait lui aussi de ce déséquilibre, qui allait jusqu'au vertige, mais Pascal était précisément orphelin de mère, situation plus pénible encore et qui en effet engendrait chez lui des troubles beaucoup plus graves.
2. Cocteau lui-même disait à peu près : « Ce qu'on peut prouver est vulgaire. »

fois absent et omniprésent [1] qu'est dans la vie et
plus encore dans l'œuvre la figure paternelle, qui est,
en fin de compte, le personnage inspirateur, puisqu'il
se trouve dans cet au-delà auquel le poète n'a accès
que par lui.

Après la mort du père, la première manifestation
de cet Autre, à la virilité triomphante, aux initiatives
hardies, capable de tenter des expériences qui permettent d'atteindre un monde situé par-delà le nôtre,
par-delà les apparences, de cet Autre que Jean le
faible, couvé par des femmes, envie et veut imiter,
se cristallise dans le personnage mi-réel, mi-fabuleux
de Dargelos, première ébauche, encore grossière, encore
profane, non-épurée, non sublimée de l'Ange, un ange
noir comme la boule qu'il envoie à Paul, dans *Les
Enfants terribles*, après avoir été l'ange blanc de la boule
de neige, blanche comme la pureté de celui qui la reçoit,
et qui se teinte alors du rouge de son propre sang.

Sur ce personnage énigmatique, et destiné à le rester,
Jean Cocteau a beaucoup écrit, mais toujours plus ou
moins de manière allusive. Un des textes les plus
saisissants est incontestablement la *Cadence* de *La Fin
du Potomak*, que Cocteau, probablement parce qu'il
s'y était trop livré, a fait supprimer par la suite [2].
Dans ce portrait qui relève plus du fantasme que de la
description d'une banale réalité quotidienne, l'accent
est mis sur les attributs virils de Dargelos, dont la
juvénilité glorieuse et insolente stupéfie et asservit
ses condisciples, et même ses professeurs qui tous se
conduisent avec lui comme des femelles conquises.
Dargelos est en quelque sorte le « Surmâle », et aussi

1. Au cours d'une anamnèse, le personnage qui n'apparaît pas tout
d'abord — mais que le psychanalyste décèle assez facilement, car dans
la constellation du patient une place reste vide — est précisément le
plus important, celui envers qui se manifestent par conséquent les plus
fortes résistances du sujet.
2. Elle ne figure plus dans le texte définitif, publié dans les *Œuvres
complètes* (volume II).

l'absolu Narcisse, promenant sur toutes choses, sur tout
être un regard chargé de morgue et de mépris, l'être
sans scrupules, à l'occasion criminel, et cependant
ambigu, puisqu'il joue le rôle d'Athalie, par là andro-
gyne, donc absolument autonome, et de ce fait indomp-
table, incapable non seulement d'aimer, mais de se
laisser aimer, et donc parfaitement détaché.

Son prestige aux yeux du petit Jean lui vient particulièrement de ses genoux, de ses « jambes d'homme »
qu'il exhibe, puisqu'il persiste à porter des culottes
courtes et « des chaussettes qui retombent sur ses talons ».
C'est donc pour l'enfant l'image de l'adolescent inéga-
lable et, en même temps, de la virilité insurpassable
du père. Cette image sublimée, deviendra celle de l'Ange,
de sa force brutale, de son impassibilité, de sa sévérité ;
le rapport entre l'adulte Cocteau et le surhumain
Heurtebise demeurant dans sa transposition égale au
rapport entre l'adolescent Dargelos et l'enfant Cocteau.

*

C'est vers son père que marche Œdipe, les yeux
crevés, trébuchant, mais soutenu par Antigone-Jocaste,
sa fille, qui est aussi sa sœur, devenue désormais sa mère.
Aveugle, il pénètre vivant dans le royaume des morts,
où l'attend celui qu'il a perdu, celui qui va l'y accueillir
et l'initier. Ainsi en va-t-il du poète Jean Cocteau.
La Machine infernale est avant tout le récit symbolique
de la naissance de la vocation poétique. La situation
œdipienne n'est qu'un point de départ, et nous pourrions
désormais laisser Œdipe poursuivre son chemin, comme
dans *Le Testament d'Orphée*, lorsque le poète le croise
sans le voir [1], afin de nous tourner vers celui qu'il est
devenu, Orphée lui-même, s'il ne convenait de faire
préalablement quelques remarques.

1. Tandis que le commentaire, dit par Jean Cocteau, précise : « Le
Sphinx, Œdipe... Ceux qu'on a trop voulu connaître, il est possible
qu'on les rencontre un jour sans les voir. »

Œdipe n'a pu gagner ce don du ciel, la double vue, la faculté de voir dans l'invisible, comme les chats dans la nuit, qu'en perdant la vue. S'il est devenu aveugle, c'est qu'il a réalisé ce qui, pour tout autre être humain, demeure un fantasme, qu'il a vu non seulement ce qu'il est interdit de voir, mais ce qu'il est impossible de voir : sa propre conception. Car Œdipe, devenu le mari de sa mère, s'engendre lui-même, il devient son propre fils, comme sa mère prend désormais l'apparence de leur fille Antigone. Si donc Jean Cocteau est devenu le Poète, c'est-à-dire, selon l'idée qu'il s'en fait, celui qui est en communication avec l'invisible et en transmet les messages, ce n'est pas seulement parce que le conflit œdipien l'a à jamais marqué, mais bien parce qu'il l'a reconnu et assumé ; c'est que, passant outre l'horreur et la répugnance, il a su projeter sur lui-même la lumière impitoyable de sa propre clairvoyance [1]. Et c'est à cette seule condition qu'il a pu sublimer la situation œdipienne, qu'Œdipe a pu se transformer en un autre, devenir Orphée. Pour lui, qui ne put ni ne voulut sortir du conflit originel par sa voie normale et inconsciente : l'identification au père, laquelle ne se réalise véritablement que par le fait que le fils devient à son tour un père, il n'y avait sans doute pas d'autre solution possible. Encore devait-il choisir de ne pas se laisser enfermer en elle et dévorer par elle, mais de sortir de cette situation, quelque effort que cela lui ait coûté. Une fois rencontré le sphinx, il faut soit succomber à ses prestiges, soit répondre juste, et ainsi le condamner, et aller de l'avant.

*

Cette origine, Jean Cocteau ne l'ignorait nullement ; non seulement il ne l'a pas reniée, mais il a eu le courage,

---

1. De même Freud ne devint le Psychanalyste que parce qu'il reconnut et assuma l'ambivalence de ses sentiments à l'égard de son père, quelque douleur qu'il en ait alors éprouvée.

avant de lui tourner le dos, et d'entreprendre sa longue
marche vers l'inconnu, de la regarder en face. Bien qu'à
peine frotté de psychanalyse [1] et témoignant à son
égard d'une instinctive répulsion, il savait fort bien que
sa vocation était née d'un innommable secret, de quelque
chose de trouble, de viscéral, d'un peu répugnant et de
surcroît interdit, dont il a fait ce monstre informe
qu'est le Potomak, être flasque comme un cerveau,
mais, comme lui, animé par une activité électrique et,
comme lui, émettant des ondes, cerveau nocturne où
s'élabore une étrange chimie, qui n'est autre, somme
toute, que ce nyctalope, à la fois ensommeillé et attentif à ses plus secrets mouvements intérieurs, qu'est
devenu en 1913 Jean Cocteau.

Avec cet être visqueux qui dégoûte l'élégante et
futile Argémone :

> Le Potomak levait au ciel un œil noyé de prismes
> et ses grandes oreilles roses, en forme de conques
> marines, écoutaient le murmure infini d'un océan
> intérieur. (*Bravo.*)
> Nous : Ah! coller son oreille contre cette froide
> chair molle et surprendre le flux et le reflux des
> vagues antédiluviennes, le silence des météores.
> Argémone : Que vous êtes sale!

— car c'est bien de l'existence d'avant la naissance,
de la communication cosmique originelle, donc du
ventre de la mère qu'il est ici question.

> De plus en plus le Potomak me fascinait...
> — Oui, continuais-je, le Potomak me trouble.
> Quelles moires forment entre eux son sommeil
> et ses veilles? A quoi songe-t-il? Ma vie confuse
> et la cohérence de mes rêves m'apparente au Poto-
> mak. Un même fluide nous traverse. Je marche

---

1. Encore qu'il ait montré, dans *Le Mythe du Greco*, par exemple, qu'il
savait, spontanément, utiliser des méthodes comparables d'analyse.

entre chien et loup, ce qui s'appelle. Je continue
à vivre dans mes rêves et à rêver dans mon mécanisme diurne... Des rêves me dirigent et je dirige
mes rêves. Bien des spectacles de la veille, je les
enregistre sans méthode, comme on recueillerait
des fragments de verroterie multicolore pour que
le sommeil les coordonne et les tourne au fond d'un
kaléidoscope ténébreux.

Avec le Potomak donc — c'est-à-dire avec la relation prénatale au ventre maternel — le narrateur
s'identifie. En 1915 s'est opéré en lui une sorte de ren-
versement intérieur. Le futile jeune homme qu'il était
alors s'est détourné de lui-même, s'est renié pour se
pencher sur ce gouffre intérieur, vertigineux, d'où
parfois émanent des voix. Il a compris soudain que toute
inspiration naissait de ce chaos viscéral, que plus elle
était élevée, plus elle s'enracinait bas. A l'autre bout
de l'œuvre, il dira encore :

> *Rose tu mens ta chair pompe au fleuve des morts*
> *La sève indispensable à tes couleurs profondes* [1].

Il a compris qu'il lui suffisait d'obéir dorénavant à
cette voix intérieure.

Mais cette conversion, entrevue tout à coup, ne s'est
pas réalisée sans peine ni sans à-coups ; il a fallu que
Cocteau perde successivement Jean Le Roy et Raymond Radiguet, et avec eux un peu de lui-même, pour
posséder de l'autre côté ces nécessaires intercesseurs,
ces relais qui lui transmettront des messages de plus en
plus impérieux, de plus en plus certains. Qui plus est,
cette conversion n'a jamais été acquise, n'est jamais
devenue définitive. Et tel fut le drame de Jean Cocteau,
du trop « visible » Jean Cocteau, cette ambiguïté qui le
fit de son vivant et le fera encore après sa mort méju-
ger ; jamais Cocteau n'a pu, malgré son officiel détache-

1. *Le Requiem*, 4ᵉ période ; *Halte.*

ment, tout à fait abdiquer celui qu'il avait été, le jeune
homme brillant, aux faciles succès, celui qui, jusqu'à
la fin, rechercha la réussite, les honneurs, tout en proclamant et en comprenant leur vanité, tout en affirmant
avec la plus grande sincérité qu'ils ne pouvaient résulter
que d'autant de malentendus. Et sans doute ne pou-
vait-il en être autrement. Plus il s'éloignait des autres,
« seul / debout dans la mine / avec sa carte / sa pioche /
et sa bêtise [1] », plus se réalisait ce qui lui avait été par
l'ange annoncé : « Tu vas connaître la solitude. / Car
seul avec soi-même / le créateur s'incline / l'un vers
l'autre : / il se féconde et il conçoit dans la tristesse [2] »,
plus il avait besoin, remontant de la fosse, de retrouver
la chaleur d'autrui. Il y pouvait d'autant moins renoncer qu'il avait été — qu'il était resté — ce « petit dernier », cet enfant gâté par tous et étroitement surveillé
par une mère qui toujours refusa de le considérer comme
un homme seul responsable de ses actes, et contre qui il
eut toujours à se défendre [3]. Cette approbation que

---

1. « Prologue » du *Discours du grand sommeil*.
2. *Discours du grand sommeil*.
3. En 1921 — il a trente-deux ans — il doit encore se disculper :
« Quand cesseras-tu de me voir avec les yeux du *Crapouillot* ou du *Carnet
de la Semaine*... Ce que tu appelles gaspiller un hiver, c'est mettre au
monde *La Noce* [*Les Mariés de la tour Eiffel*] — un rien!... Pour toi
peut-être. Pour moi quelque chose de considérable... Tu pries beaucoup.
Mais prends garde que la prière est un mécanisme qui empêche l'esprit de fouiller une chose et de la voir sous son angle véritable. Ta
bonté, ton approbation seraient plus efficaces qu'un cierge. J'y renonce,
le cœur navré.
« Me ressaisir, dis-tu? N'as-tu donc pas encore vu que ma vie se
passe à lâcher mes instincts, à les regarder, les trier, une fois qu'ils sont
dehors et à les mater à mon profit. *Voilà cette discipline que tu n'arrives
pas à comprendre*, cette discipline que j'ai créée de toutes pièces comme
tout ce que je fais. Ne t'attends plus JAMAIS à me voir faire rien d'après
une méthode convenue. C'EST FINI.
« Dans 100 ans, on pleurnichera d'émotion parce que je jouais du tam-
bour, que ma mère ne comprenait pas *Le Cap*, etc. Ces pleurnicheries
me dégoûtent. Je veux les choses sur place. » (Lettre à sa mère datée
de Carqueiranne, 30 mars 1921, publiée dans les *Cahiers Jean Cocteau*,
n° 1, décembre 1969.)

constamment il recherche était celle de sa mère, si
fière de lui et d'autant plus exigeante, cette mère dont
il dut finalement s'éloigner, non sans remords, afin d'être
indépendant sans doute, mais plus encore pour échapper
à ses lamentations et trouver auprès de ses amis cette
compréhension, cette indulgence qu'elle lui refusait [1],
cette patience que seuls ils peuvent lui donner [2], cette
tendresse aussi qu'il implore [3]. Encore l'approbation
de ceux qu'il a choisis ne lui suffit-elle pas, il lui faut,
comme autrefois, lorsque ceux qui l'entouraient una-
nimes l'applaudissaient, la faveur du public, l'approbation générale.

*

Né un peu avant la guerre de 14, le Potomak mourut
vingt-six ans après, au commencement de la suivante.
Que signifie cette mort que Jean Cocteau enregistre et
raconte dans *La Fin du Potomak*, livre passablement
énigmatique où transparaissent comme des lueurs
aussitôt éteintes les reflets d'un passé dont il ne veut
plus ? Sinon une nouvelle forme de reniement, une nouvelle étape dans la voie du renoncement ? Mais dans ce
livre vengeur où le poète se détache, en la raillant, d'une
certaine forme de parisianisme dont il fut si longtemps
prisonnier, et règle ses comptes, en dénonçant moins
ceux qui encombrèrent sa vie que lui-même qui se laissa
envahir ; ce à quoi il s'attaque, ce qu'il s'efforce d'anéan-
tir, c'est bien plus encore la source, parce que saumâtre,

1. « Ne crois pas que mes amis passent avant tout. Tu passes avant
tout. Mais ils me plaignent et me dorlotent. » (Lettre à sa mère de 1927,
publiée dans les *Cahiers Jean Cocteau*, n° 1.)

2. « Il faut la patience d'ange de Jean Desbordes pour me supporter
et me soulager. *Personne d'autre ne me supporterait.* » (Lettre à sa mère
— Villefranche-sur-Mer, janvier 1928 — publiée dans les *Cahiers Jean
Cocteau*, n° 1.)

3. « Aime-moi et berce-moi. Porte-moi comme tu me portais dans
la chambre rue La Bruyère. J'ai grand besoin de pitié et d'amour. »
(Même lettre que dans la note 1, v. *supra*).

de son inspiration, source d'ailleurs momentanément
tarie, le Potomak devenu invisible, le Potomak qui
n'est plus désormais qu'un vide, car de lui « et de ses
malaises, une œuvre était née. Des lignes, des lignes,
des lignes ».

Aussi le poète peut-il enfin, désenchanté, quitter
cette « zone », le quartier de la Madeleine qui ne renferme plus dorénavant que ruines et fantômes. Et,
entre autres, le 10 rue d'Anjou, l'appartement de sa
mère que celle-ci, semble-t-il, a quitté à cette date pour
la maison de santé où elle mourra trois ans plus tard,
le 10 rue d'Anjou où Cocteau ne reviendra plus jamais.
En se détachant de la Madeleine, Jean s'écarte aussi de
celle qui fut sa mère trop aimée et qui n'est plus maintenant qu'une vieille femme qui attend la mort. Et sans
doute, dans le même temps, prend-il ses distances vis-
à-vis de la sexualité, ainsi qu'en témoignerait par exemple
dans le poème *Clinique* de 1941 [1] : « L'amour, n'en parlons plus, car c'était du joli! », et dont il dira quelques
années plus tard dans *La Difficulté d'être* : « J'estime
qu'à partir d'un certain âge ces choses-là sont turpitude,
ne permettent pas l'échange et deviennent pareille-
ment risibles, qu'il s'agisse d'un sexe ou de l'autre. »
Parallèlement, il semble que le poète se détourne de
cette forme d'inspiration qu'il a continuellement dénoncée
lui-même comme d'origine sexuelle, et que représentent
dans *La Fin du Potomak* le « tas de fumier d'or massif »
et, au sein de la ville détruite, le cadavre invisible du
Potomak que l' « odeur immonde de la décomposition »
rend « presque visible », sort « du néant ». Et c'est peut-
être dans cette perspective qu'il faut comprendre les
paroles de Persicaire, lequel n'est autre ici que Radiguet,
qui donne au poète ses derniers conseils, avant que son
souvenir, un instant ranimé, ne s'estompe — insistant
sur la différence entre l'œuvre (au masculin) et l'œuvre
(au féminin) : « Il vous reste... de laisser un nom à votre

1. Du recueil *Allégories*.

œuvre. Cet œuvre vous déteste et vous dévore. Il veut vivre et veut vivre sans vous. Il est impossible qu'un homme et un œuvre puissent vivre côte à côte. Un homme et une œuvre, passe encore. Ils se disputent, se jalousent et parviennent à vivre ensemble. Mais un homme et un œuvre point. C'est une question de sexe. Une œuvre est femme. Un œuvre est homme. C'est presque aussi simple à comprendre que le mystère de la Sainte Trinité. »

Toutefois, la conclusion de cette confrontation avec le Potomak reste passablement ambiguë. Car, avant de renoncer à la sexualité — et justement parce qu'il y renonce —, Cocteau l'hypostasie en une brève, une brutale flambée, la fameuse *Cadence* de Dargelos, la version la plus sexualisée du fantasme, qui fut ensuite supprimée par l'auteur. Car l'inspiration profonde va pendant des années lui manquer et c'est aussitôt après qu'il écrira ces œuvres qu'il condamnera plus ou moins explicitement par la suite : *Les Monstres sacrés* et *La Machine à écrire*, comme si, en se coupant de ses honteuses, mais profondes racines, ne subsistait plus que le plus superficiel de lui-même, l'amoureux du succès.

*

C'est seulement après que par le théâtre et le cinéma il eut réussi à obtenir un rôle public, et que cependant il eut retrouvé avec *Léone* (1942-1944), le fil invisible qui relie les sommets de son œuvre poétique, enfin qu'épuisé, il se fut livré de nouveau, dans *La Difficulté d'être* (1947), à un de ces rigoureux examens de lui-même qui jalonnent son existence, c'est seulement alors que Cocteau put reprendre, et cette fois au cinéma, en utilisant toutes les ressources que celui-ci offrait à la représentation de l'invisible, le mythe d'Orphée (1949).

Orphée, les trois Orphée, la pièce de 1925, le film de 1949, *Le Testament d'Orphée* de 1959 sont les trois états d'un même portrait, le portrait intérieur du poète saisi par lui-même dans son activité créatrice, portraits où de l'un à l'autre se marque moins le vieillissement que la maturation par à-coups qui fut la sienne, portraits où, de l'un à l'autre, le poète coïncide de plus en plus, de mieux en mieux avec lui-même, au point que finalement, dans *Le Testament d'Orphée*, nul autre que lui ne pouvait jouer son propre rôle.

Si *La Machine infernale*, ainsi que les deux *Potomak*, donnent accès au sous-sol de l'œuvre, dévoilent le terreau sur lequel poussera la fleur, c'est cette fleur elle-même que montre le poète dans les trois Orphée, cette fleur qu'il ressuscite dans *Le Testament*. Autrement dit, alors que *La Machine infernale* et les deux *Potomak* laissaient entr'apercevoir les rouages charnels de l'inconscient, dans les trois Orphée apparaît en action le mécanisme de la sublimation.

Aussi est-ce finalement en analysant ces trois œuvres que nous approcherons au plus près de l'essence même du poète, tel qu'il s'est voulu, tel qu'après avoir traversé des difficultés inouïes, dues comme toujours non tant aux événements qu'à son propre caractère, il est véritablement devenu. Encore, auparavant, faut-il rappeler les circonstances dans lesquelles chacun d'entre eux fut composé.

*

Quand Jean Cocteau écrit le premier *Orphée*, il vient d'avoir trente-six ans. Il y a un an et demi qu'est mort Raymond Radiguet et de cette absence, de la mutilation qu'elle lui a fait subir, il ne s'est pas encore remis. Maintenant que se sont calmées ses souffrances, il s'en veut d'en avoir cherché l'apaisement auprès des Maritain, de s'être ainsi éloigné de l'ami, d'avoir presque trahi la poésie. Alors que la religion l'écartait, la drogue le rapproche, lui donne l'impression d'abolir la frontière entre veille et sommeil, entre vie et mort, de pouvoir passer librement de l'une à l'autre. Pourquoi Eurydice ne reviendrait-elle pas des Enfers, pourquoi n'irait-il pas l'y rejoindre, pourquoi, en ce lieu identique et différent, hors de l'espace et du temps, ne recommenceraient-ils pas, définitivement réconciliés, à vivre ?

Telle est une des versions possibles de la pièce. Mais elle n'en rend que très partiellement compte et il est d'autres voies, car Jean Cocteau, possédant une connaissance intuitive des processus inconscients, n'ignore pas que ceux-ci sont surdéterminés, chargés et surchargés de sens, complémentaires, en harmonique, ou parfois même opposés. Relevons seulement les traits qui signalent au passage comme des reflets des œuvres futures, mais déjà plus ou moins en gestation : le poison qu'Heurtebise apporte à Eurydice de la part de son ancienne amie Aglaonice, rapide mention destinée à devenir l'un des épisodes essentiels des *Enfants terribles*, l'analogie entre la scène où Eurydice déjà morte vient chercher Orphée aveugle et décapité et lui dit : « J'ai ta main dans ma main. Marche. N'aie pas peur. Laisse-toi conduire... », et celle où, dans *La Machine infernale*, Jocaste guide Œdipe les yeux crevés.

Un autre sens, peut-être le principal, se dégage de la « prière » d'Orphée qui termine la pièce, un peu à la manière de la morale d'une fable, ou plutôt de celle qui terminait autrefois les vieux mystères : « Mon Dieu, nous vous remercions de nous avoir assigné notre demeure et notre ménage comme seul paradis et de nous avoir ouvert votre paradis. Nous vous remercions de nous avoir envoyé Heurtebise et nous nous accusons de n'avoir pas reconnu notre ange gardien. Nous vous remercions d'avoir sauvé Eurydice parce que, par amour, elle a tué le diable sous la forme d'un cheval et qu'elle en est morte. Nous vous remercions de m'avoir sauvé parce que j'adorais la poésie et que la poésie c'est vous. Ainsi soit-il. »

Orphée-Cocteau se proclame sauvé — la crise, le deuil sont finis —, parce qu'il a « adoré » la poésie, mais la poésie ne le sauve que parce qu'elle est Dieu Lui-même.

Orphée-Cocteau a retrouvé Dieu que le désespoir lui
avait fait renier, non le Dieu auquel il aurait fallu immo-
ler ses œuvres, Celui que lui présentaient les Maritain
— et la *Lettre à Jacques Maritain* fut écrite immédiatement après la composition d'*Orphée* —, mais Celui qui
l'incite à se réaliser lui-même dans son œuvre, Celui qui
lui a envoyé cet « ange gardien » qui est Raymond
Radiguet, rétrospectivement purifié par la mort [1].

Mais qui est alors Eurydice ? Sinon Cocteau lui-même,
sa part féminine. Une Eurydice prudente, qui sait qu'on
ne joue pas impunément avec le feu, prît-il la forme d'un
cheval oraculaire, une femme aussi qui craint l'aventure,
qui croit à la réussite et qui veut la conserver à tout prix.
Au cours de la scène I, on croit entendre le dialogue de
Cocteau avec lui-même, celui de Don Quichotte et de
Sancho Pança :

EURYDICE

Avant... tu avais une situation superbe. Tu étais
chargé de gloire, de fortune. Tu écrivais des
poèmes qu'on s'arrachait et que toute la Thrace
récitait par cœur... Ce n'est pas sérieux.

ORPHÉE

Pas sérieux ? Ma vie commençait à se faisander,
à être à point, à puer la réussite et la mort. Je
mets le soleil et la lune dans le même sac. Il me
reste la nuit. Et pas la nuit des autres ! Ma nuit...
Je donnerais mes œuvres complètes pour une seule
de ces petites phrases où je m'écoute comme on
écoute la mer dans un coquillage. Pas sérieux ?
Que te faut-il, ma petite ! Je découvre un monde.
Je retourne ma peau. Je traque l'inconnu.

Et pour cela, il est prêt à payer le prix. Lorsque parais-

---

1. Dans les *Orphée* suivants, Heurtebise sera donné effectivement
comme un mort, ce qui n'est pas précisé dans la pièce.

sent les Bacchantes, venues pour le lapider, Orphée ne fuit pas, il attend les coups : « La vie me taille, Heurtebise ! Elle fait un chef-d'œuvre. Il faut que je supporte ses coups sans les comprendre. Il faut que je me raidisse. Il faut que j'accepte, que je me tienne tranquille, que je l'aide, que je collabore, que je lui laisse finir son travail. »

Et pourtant, à la fin de la pièce, il s'accuse, se repent, renonce. Pourquoi, puisque Cocteau justement ne renonce pas, qu'il écrit *Opéra*, ce recueil d'oracles, commencé paradoxalement alors qu'il obéit aux Maritain en se faisant désintoxiquer ? Est-ce là incohérence ? Certainement pas, mais sans doute plutôt impossibilité de surmonter une contradiction qui ne sera résolue que beaucoup plus tard, et sur le plan où nous nous plaçons, seulement avec *Le Testament d'Orphée*, quand, en vue de la mort, le poète pourra enfin s'assumer tout entier réunifié. Peut-être aussi est-ce là une manière — mais alors probablement subconsciente — de se déculpabiliser, de se protéger. Car, écouter le cheval, c'est s'exposer à la désapprobation de tous, y compris celle de Heurtebise-Radiguet [1], y compris celle d'Eurydice, la part féminine du poète, c'est flirter avec le mystère qui peut se retourner contre lui, et frôler sans cesse l'imposture, c'est enfin jouer avec la mort.

En définitive, dans l'état présent de son âme, le poète est contraint de céder, car il lui est impossible de renier celle avec laquelle il ne peut pourtant que se disputer, puisqu'elle est aussi lui-même ; il lui faut à

---

1. Dans le deuxième *Orphée*, le film de 1949, Heurtebise, plus étroitement mêlé à l'action, mettra en garde Orphée :

HEURTEBISE
Méfiez-vous des sirènes.

ORPHÉE
C'est moi qui les charme.

HEURTEBISE
Votre voix est la plus belle. Contentez-vous de votre voix

tout prix se réconcilier, il ne peut se passer d'elle, puisqu'il est par essence hermaphrodite.

En marge, mentionnons seulement les faits qui accom-
pagnèrent le destin de la pièce. Jean Cocteau venait de
l'achever et d'adresser à Jacques Maritain la fameuse
Lettre, quand il fit la connaissance de Jean Desbordes.
La première d'*Orphée* eut lieu le 15 juin 1926, et Cocteau écrira, dans la préface de *J'adore*, le livre de Desbordes, qui contient le texte intitulé *Les Coulisses d'Orphée* : « Notre véritable rencontre ne date que de Noël
1926. » Lorsqu'en juin 1927, les Pitoëff reprennent
Orphée, Cocteau y joue le rôle d'Heurtebise, inversant
de ce fait la situation : de disciple de Radiguet, il est
devenu le maître de Desbordes.

*

Les différences entre *Orphée I* et *Orphée II* ne viennent pas seulement de ce que s'y précise ce que Cocteau
ne faisait en 1925 que soupçonner, sans le connaître,
elles expriment cette connaissance devenue intime, cette
connaissance désormais expérimentée, vécue.

Quand il lance *Orphée II*, Cocteau a soixante ans. En
1940, il a liquidé le Potomak, puis il s'est laissé distraire par le théâtre et le cinéma, il a joué le jeu du succès. Et cependant une certaine source qui semblait
tarie a retrouvé son débit et peu à peu remonte en lui
une eau plus pure. En 1945, il publie *Léone*, en 1946
La Crucifixion. L'heure est venue de tracer le portrait
intérieur du poète parvenu à sa cime. Paradoxalement,
c'est au cinéma qu'il le tracera, à la foule — celle des
jeunes iconoclastes qui grognent sur son passage — qu'il
le livrera. Peut-être ainsi regagnera-t-il cette jeunesse
qu'il croit avoir perdue. Mais très vite cette préoccupation, évoquée au début — la scène du café de Flore,
et un peu avant la fin, lors du meurtre d'Orphée, la
voiture des bacchantes, montée par Juliette Gréco
et sa bande — ne fait plus qu'encadrer l'action véri-

table, et intemporelle — il est toujours six heures à la pendule, de même que dans *Le Sang d'un poète* toute l'action tient dans le temps que met à s'écrouler la cheminée d'usine [1], l'amour réciproque du poète et de sa mort. La mort qui n'était presque dans *Orphée I* qu'un *deus ex machina* est devenue entre-temps un personnage, mieux une personne, qui aime et qui est aimée.

Comme toujours, lorsqu'on cherche à comprendre la signification profonde de l'œuvre de Cocteau, qui est sa vie transcendée, sublimée, il convient de jeter un rapide coup d'œil sur les circonstances biographiques. Qui a pu provoquer chez le poète le développement de cette connaissance de l'inconnaissable, cette proximité avec ce qu'on fuit d'ordinaire, plus d'ailleurs on s'en rapproche : l'âge sans doute et une lente évolution intérieure depuis très longtemps commencée. Assurément. Mais aussi des événements qui ont accéléré ce processus. Rappelons qu'en 1943, Jean Cocteau a perdu sa mère, en 1944 Jean Desbordes. Précisons que quelques semaines avant d'écrire le scénario d'*Orphée*, il a rencontré Édouard Dermit, et que lorsqu'il l'écrit, Dermit (Cégeste) vit à ses côtés, tandis que Jean Marais (Orphée) s'éloigne.

Si l'on se souvient que dans *L'Ange Heurtebise*, le poète annonçait :

> *Un autre ange le remplace dont je*
> *Ne savais pas le nom hier*
> *En dernière heure : Cégeste.*

et que, dans ce nouveau venu, il faut très vraisemblablement reconnaître Jean Bourgoint, alors que Heurtebise serait Raymond Radiguet mort ; si l'on se souvient aussi que l'entrée en scène de Jean Desbordes correspond avec les débuts d'*Orphée I* au théâtre, on ne peut

---

1. Rappelons que pour Cocteau *Le Sang d'un poète* est déjà une première ébauche du film *Orphée*.

pas ne pas penser que, dans ce jeu de disparitions et
d'apparitions, Cocteau n'a pas vu une certaine mais
frappante équivalence.

Tout se passe comme si, lorsque s'éloigne un Heurtebise, en paraissait un nouveau — âgé comme le premier
de dix-huit ans, âge que donne l'auteur à Heurtebise
dans *Orphée I*, à Cégeste dans *Orphée II* [1]. Cégeste (Dermit) fait fonction d'intermédiaire entre Heurtebise et
Orphée, tenant en quelque sorte le rôle de Jean Desbordes, mort récent entre Radiguet, qui s'est éloigné
dans la mort, et Cocteau survivant à tous ces deuils,
mais boitant de plus en plus fort, entre les vivants et
les morts.

Car désormais, des pans entiers de lui-même sont
tombés de l'autre côté de la frontière, dans la mort.
Pour qui ne s'aime pas assez pour vivre de lui-même,
mais des autres, ces deuils, ces pertes sont véritablement
des pertes de soi. Des fragments entiers sont de lui
comme arrachés, ce qui vient de lui être retiré, c'est la
part féminine de son être, sa mère, les entrailles dont il
n'a jamais pu tout à fait se détacher. Eurydice s'est
désormais dédoublée, celle qui reste auprès d'Orphée
n'est plus qu'un fantôme, la véritable Eurydice est
demeurée chez les morts, elle s'est devenue la mort du
poète [2]. Et si, par amour, elle meurt dans la mort,
l'immortalité qu'elle offre de ce fait au poète est seulement celle de l'œuvre qui va prendre sa place, et vivre
immortelle [3], tandis que lui, sa personne, lui, le fils de
l'Ange et de la Muse, ira là-bas rejoindre sa mère et son
père. Ainsi, une fois encore, dans l'œuvre de Cocteau,

1. Par une curieuse inadvertance, Cégeste a tantôt seize, tantôt
dix-huit ans, ce qui rend plus évidente l'identification avec Radiguet.
Édouard Dermit qui joue le rôle a vingt-trois ans.
2. Notons cette intuition prophétique : la Rolls de la Princesse est
semblable à celle que Mme Weisweiller mettra quelques mois plus tard
à la disposition de Cocteau.
3. La mort de sa mère est en quelque sorte la rançon dont il lui
faut payer cette immortalité.

s'affirme la seule réalité de l'amour impossible et son équivalence avec la mort, puisque regagner le sein de sa mère, c'est mourir.

En fait, ici encore, Cocteau retrouve donc la constellation familiale primitive. Involontairement peut-être, il restitue ce que durent être les rapports de ses parents entre eux : sa mère sévère, puritaine, quelque peu rigide — telle elle apparaît bien, en même temps que trop tendre, trop soucieuse, ce qui ne se contredit nullement, dans les lettres de Jean Cocteau à sa mère — le père indulgent à l'égard de son fils et qui, à l'occasion, prend sa défense, et, en cachette, l'aide — situation qui apparaît plus nettement encore à travers le rôle d'Heurtebise dans *Le Testament d'Orphée*.

*

Engagés dans le dédale des analyses de ces strates superposées et parfois interférentes qui donnent aux personnages tout le relief, toute la richesse de la vie, il peut sembler que nous ayons perdu de vue le poète lui-même. En fait, nous ne l'avons jamais quitté, puisque les autres, c'est lui-même. Il convient cependant de préciser ce qu'ajoute le message ici transmis à celui que contenait le premier *Orphée*, le nouvel état de son être qui ici se reflète, le palier qu'il a alors atteint. Ce qu'entre-temps il a acquis intérieurement, nous le savons par son œuvre, c'est le nouvel apprentissage de la douleur physique, que reflètent le *Journal de la Belle et la Bête*, *La Difficulté d'être*, que magnifie, qu'exalte *La Crucifixion*, celui qui découle du cheminement dans les voies du rêve, parcourues jusqu'au bout, là où l'être est sur le point de perdre son identité, expérience minutieusement relatée dans *Léone*, c'est aussi la rude leçon des adversités engendrées par l'occupation et la libération : déréliction, angoisse, abandon, mauvaise conscience, cause indirecte, nous l'avons signalé, des maux physiques qui s'abattent sur lui et qu'il endurera

pendant plusieurs années. Toutes épreuves qui lui
rendent plus désirable, plus aimable cette mort qui
vient de lui prendre sa mère.

On conçoit que l'enseignement qu'il est à même de
transmettre maintenant ne peut être présenté que voilé.
Cocteau sait bien qu'il est, pour ses contemporains
tout au moins, inacceptable. Le « Poète invisible »
n'est pas seulement une excuse pour avoir eu et avoir
gardé un pied dans les deux camps — mais ces deux
camps ne sont pas que le monde et la solitude, ce sont
aussi l'univers des vivants et celui des morts —, c'est
la vérité toute nue, ensevelie dans son puits, car même
ce que le poète en toute clarté affirme, même cela demeure invisible à ceux qui de son vivant le lisent, qui le
louangent pour ce qui ne le mérite pas toujours et gar-
dent un silence pudique sur ce qui les troublerait et qu'ils
préfèrent oublier, comme si ces mots, ces phrases, Cocteau ne les avait jamais prononcés. Aussi en est-il
réduit à écrire, trois ans après le film *Orphée*, dans le
Journal d'un inconnu : « Je dérangerai après ma mort. »

*

Ce sont ces deux personnages : celui qui « reçoit les
coups et les couronnes » et le poète invisible pouvant
sans risque s'exhiber puisqu'il se montre à des aveugles,
qui se croisent à un détour de la rue couverte de Villefranche dans *Le Testament d'Orphée*. Jean Cocteau a
soixante-dix ans. La mort se rapproche, elle vient de
frapper sa sœur Marthe. Très affecté, il commence aussitôt après à penser à un nouveau film. Pendant qu'il
le prépare, elle le frappe à son tour : l'hémoptysie de
janvier 1959 est un premier avertissement, et c'est
bien ainsi qu'il l'entend. Avec ce sang qu'il vient de
perdre, il écrit son testament poétique, *Le Requiem*,
illustration aussi du thème orphique, puisqu'il s'agit
d'une expédition au-dedans de soi-même, d'un voyage
dans sa propre mort. Et à Milly, juste avant le tournage,

il peint de plantes dressées les murs de la chapelle Saint-Blaise-des-Simples, qui lui servira de tombeau.

Et pourtant nulle tristesse, et même nul regret dans *Le Testament d'Orphée*, pas plus que dans son reflet complémentaire, *Le Requiem*, car en fait le poète ne meurt que pour ressusciter, et le temps contre lui ne peut rien, que le tuer, car, par un retournement hardi de la pensée, il s'est délivré de cette servitude qui lui est enfin apparue comme une simple convention[1]. La « zone » grise, lugubre du second *Orphée*, où l'on ne pouvait pénétrer qu'au prix d'une déconcertante gymnastique, est devenue la Côte ensoleillée, paradisiaque, où Orphée marche d'un pas net et léger au son de l'allègre musique de Hændel, passant à plusieurs reprises de la lumière crue à l'ombre profonde. C'est que le film se passe cette fois tout entier de l'autre côté, qu'il n'y a plus désormais de retour et que de ce fait le poète cesse de « boiter ».

Plus besoin ici d'intermédiaire, d'interprète, le poète enfin avec lui-même coïncide. Orphée joue Orphée, Orphée est Orphée. Plus besoin non plus de transpositions, de symbolisme, l'aventure intérieure suscite elle-même ses images. Le poète a renoncé à traduire « cette langue morte, de ce pays mort où ses amis sont morts[2] », il a renoncé à se faire comprendre — des images ne se comprennent pas, elles s'écoutent comme une musique —, renoncé lui-même à comprendre : « Il m'est arrivé, souvent, pendant le tournage, de comprendre si peu ce que je mettais en scène que j'éprouvais la tentation de le juger absurde et de le supprimer. C'est alors que je m'obligeais à condamner mon jugement et à me dire que si le film l'avait voulu à l'origine, c'est qu'il avait ses raisons où la raison n'avait que faire. Et je me contentais de lui obéir[3]. » Et quand il affirme : « Le péché originel de l'art est d'avoir voulu convaincre

---

1. Cf. *Journal d'un inconnu*.
2. *Discours du grand sommeil*.
3. « Pas de symboles », dans l'introduction au *Testament d'Orphée*.

et plaire, pareil à des fleurs qui pousseraient avec l'espoir de finir dans un vase », c'est évidemment lui-même qu'il accuse, c'est ce qu'il considère, là où il est arrivé, comme une faute qu'il renie. Il s'ensuit que la seule justification de l'œuvre est sa parfaite gratuité : « J'ai tourné ce film sans en attendre autre chose que la joie que j'éprouvais à le faire [1]. »

Quand Orphée paraît devant le tribunal où siègent la Princesse, sa Muse, sa Mort et aussi sa Mère, assistée d'Heurtebise, son ange gardien, son intercesseur — son père aussi qui, habitant depuis longtemps ce royaume invisible, est plus apte à le comprendre —, à l'excuser, et qui effectivement le protège —, c'est comme l'enfant devenu grand qui s'explique devant ses parents sur son propre mystère, ce mystère qui leur est incompréhensible, mais aussi irrépressible, c'est surtout devant lui-même, devant ces obscurs pouvoirs qui depuis toujours l'ont guidé, qu'il comparaît. Ainsi, se trace à la craie sur le tableau noir ce dernier autoportrait :

HEURTEBISE, *debout*, *papiers en main*.

Primo : vous êtes accusé d'innocence, c'est-à-dire d'atteinte à la justice en étant capable et coupable de tous les crimes au lieu de l'être d'un seul, apte à tomber sous le coup d'une peine précise de notre juridiction.

Secundo : vous êtes accusé de vouloir sans cesse pénétrer en fraude dans un monde qui n'est pas le vôtre. Plaidez-vous coupable ou non coupable ?

LE POÈTE

Je plaide coupable dans le premier et le second cas. J'avoue être cerné par la menace des fautes que je n'ai pas commises, et j'avoue avoir souvent voulu sauter le quatrième mur mystérieux sur lequel les hommes écrivent leurs amours et leurs rêves.

1. « Le pèché originel de l'art » *in* introduction, *Testament d'Orphée*.

LA PRINCESSE

Pourquoi ?

LE POÈTE

Sans doute par fatigue du monde que j'habite
et par horreur des habitudes. Aussi par cette
désobéissance que l'audace oppose aux règles
et par cet esprit de création qui est la plus haute
forme de l'esprit de contradiction... propre aux
humains.

LA PRINCESSE

Si je ne me trompe, vous faites de la désobéissance un sacerdoce ?

LE POÈTE

Sans elle que feraient les enfants, les héros, les
artistes ?

HEURTEBISE

Ils ne compteraient que sur leur bonne étoile.

LA PRINCESSE

Nous ne sommes pas ici pour assister à des jou-
tes oratoires. Posez cette fleur sur la table.

Le poète pose la fleur qui disparaît.

LA PRINCESSE

D'où tenez-vous cette fleur ?

LE POÈTE

Elle m'a été remise par Cégeste.

HEURTEBISE

Cégeste... C'est, si je ne m'abuse, le nom d'un
temple de Sicile.

LE POÈTE

C'est aussi le nom du jeune poète de mon film *Orphée*. C'était d'abord celui d'un des anges de mon poème *L'Ange Heurtebise*.

LA PRINCESSE

Qu'entendez-vous par film?

LE POÈTE

Un film est une source pétrifiante de la pensée. Un film ressuscite les actes morts. Un film permet de donner l'apparence de la réalité à l'irréel.

LA PRINCESSE

Et qu'appelez-vous l'irréel?

LE POÈTE

Ce qui déborde nos pauvres limites.

HEURTEBISE

Il existerait en somme chez vous des individus pareils à un infirme endormi, sans bras ni jambes, rêvant qu'il gesticule et qu'il court.

LE POÈTE

Vous donnez là une excellente définition du poète.

LA PRINCESSE

Qu'entendez-vous par poète?

LE POÈTE

Le poète, en composant des poèmes, use d'une langue ni vivante ni morte que peu de personnes parlent et que peu de personnes entendent.

LA PRINCESSE

Et pourquoi ces personnes parlent-elles cette langue?

LE POÈTE

Pour rencontrer leurs compatriotes dans un monde où, trop souvent, l'exhibitionnisme qui consiste à montrer son âme toute nue, s'exerce chez les aveugles.

. . . .

LA PRINCESSE

Avez-vous écrit :
Ce corps qui nous contient ne connaît pas les nôtres.
Qui nous habite est habité
Et ces corps les uns dans les autres
Sont le corps de l'éternité.

LE POÈTE

Je reconnais l'avoir écrit.

LA PRINCESSE

Et de qui tenez-vous ces choses ?

LE POÈTE

Quelles choses ?

LA PRINCESSE

Ces choses que vous dites dans cette langue ni vivante ni morte.

LE POÈTE

De personne.

LA PRINCESSE

Vous mentez !

LE POÈTE

Je vous l'accorde si vous admettez comme moi que nous sommes les serviteurs d'une force inconnue qui nous habite, nous manœuvre et nous dicte cette langue.

CHAPITRE III

MÉTAPOÉTIQUE

Tel qu'il est, tel qu'à partir de la situation primitive, du conflit originel, la vie l'a formé, tel qu'il s'est voulu, se faisant lui-même sur ces fondements incertains et instables, Jean Cocteau est enfin devenu, non pas un poète de plus, mais le Poète, c'est-à-dire celui qui possède le pouvoir de communiquer avec l'autre monde et d'en transmettre les messages, se faisant ainsi l'agent d'une puissance étrangère avec tous les risques que comporte une telle initiative, tant d'ailleurs d'un côté que de l'autre, celui qui parle seul dans le désert, puisque personne ne le comprend, ou pire, que, ne voulant pas comprendre, chacun feint de savoir mieux que lui, qui jusqu'à un certain point l'ignore — et peut ainsi se laisser déconcerter —, ce que tout cela veut dire.

Bien sûr, il n'a jamais prétendu être le Poète, le Poète étant en soi un absolu, un archétype, dont les poètes ne sont que les provisoires incarnations dans un temps donné. Mais quelles qu'aient pu être ses insuffisances personnelles, ses erreurs et ses chutes, il est et demeurera en son temps, dans sa langue, sa plus véridique incarnation. Et tout d'abord parce qu'il a su, afin de s'identifier le mieux possible à lui, reconnaître le Poète, révéler le paradoxe qu'il est, dessiner les contours d'une ombre floue, cerner avec des mots ce qui par essence leur échappe. Il s'est efforcé par approches successives, à travers tout l'œuvre reprises, de définir la poésie autant que de la pratiquer.

A son égard, il témoigne de la plus hardie, et parfois de la plus sacrilège clairvoyance. Il soulève le voile qui abrite les augustes, les indécents mystères. Refusant les poncifs, les mystifications, les tricheries, refusant surtout de se duper soi-même — et d'être la première victime de cette duperie —, il reprend l'enquête depuis sa base. Et cette base, contrairement à ce que voudraient nous faire croire ces poètes éthérés qui prétendent planer bien au-dessus des misères humaines, n'est rien moins que glorieuse, d'elle nul ne peut se vanter. Réinventant pour son propre compte, mais toujours en hérétique, la psychanalyse — qu'il connaissait mal et plus par intuition que par étude, et redoutait fort —, ce qu'il découvre à l'origine de toute création littéraire ou artistique, c'est la sexualité.

Pour lui, comme pour Freud — mais Freud est un théoricien, il exhume ce processus chez autrui, alors que Cocteau le met à nu en lui-même —, l'acte créateur constitue la reproduction de l'acte sexuel envisagé dans sa totalité : fécondation — gestation — accouchement. Ce n'est pas là seulement une image, un symbole, mais une équivalence exacte, puisque, dans les deux cas, l'énergie motrice [1] est la même. Ayant vécu souvent ce processus, Jean Cocteau en a décrit avec précision la phase finale [2] :

> L'ange ne se souciait guère de ma révolte. Je n'étais que son véhicule, et il me traitait en véhicule. Il préparait sa sortie. Mes crises accélérèrent leur cadence, et devinrent une seule crise comparable aux approches de l'enfantement. Mais un enfantement monstrueux, qui ne bénéficierait pas de l'instinct maternel et de la confiance qui en résulte. Imaginez une parthénogenèse, un couple formé d'un seul corps et qui accouche.

1. La « libido » freudienne.
2. Dans « De la naissance d'un poème » (*Journal d'un inconnu*).

Enfin, après une nuit où je pensais au suicide,
l'expulsion eut lieu, rue d'Anjou. Elle dura sept
jours où le sans-gêne du personnage dépassait
toutes les bornes, car il me forçait d'écrire à contrecœur. »

Plus loin, il ajoute : « Je me soutenais de l'espoir
qu'il me débarrasserait de son encombrante personne,
qu'il en deviendrait une autre, extérieure à mon organisme », retraçant ainsi, probablement sans le savoir,
les impressions subconscientes de la parturiente. S'ap-
pliquant à n'évoquer que ce qu'il a éprouvé, écartant
toute facile et abusive comparaison, Cocteau insiste sur
les particularités de cette naissance, sur son caractère
effrayant — et aussi, un peu plus haut, sur la honte qui
en résulte [1], sur le secret qu'il lui faut garder —, puisque
cet « enfantement monstrueux » ne bénéficie pas « de
l'instinct maternel et de la confiance qui en résulte ».
Et, sans doute, y a-t-il bien au départ, comme il le
dit, parthénogenèse, puisque le poète s'autoféconde :
« car seul avec soi-même/ce créateur s'incline/l'un vers
l'autre :/il se féconde et il conçoit dans la tristesse [2] » ;
toutefois la naissance qu'il décrit est en fait une caryo-
cinèse, une autodivision du noyau même de l'être,
ce qui assure à la créature ainsi formée, outre une parfaite conformité, une vie tout aussi autonome que celle
de son créateur. La souffrance éprouvée, celle de ce
déchirement au plus intime, de ce fractionnement de
l'être, de cette effraction brutale serait alors la garantie
— la seule peut-être — de l'authenticité de l'œuvre
d'art. Mais, sans doute parce qu'elle supposerait à
l'origine l'intervention d'un agent extérieur, d'un corps
étranger. De là, quelque ambiguïté dans le propos de
Cocteau, qui semble supposer que le produit naît de
l'androgynie du poète — et pense certainement à
l'image archétypale de l'hermaphrodite primordial et

---

1. Le poète est aussi une « fille-mère », l'enfant n'a pas de père connu.
2. *Discours du grand sommeil.*

à sa douloureuse séparation en deux moitiés de signe contraire —, alors que dans le même texte, il écrit :

> Il me semble remarquable que ce poème étranger me raconte (étranger sauf à ma substance) et que l'ange me fasse parler de lui comme si je le connaissais de longue date et à la première personne. Ce qui prouve que, sans mon véhicule, le personnage était inapte à prendre figure et que, pareil aux génies des contes orientaux, il ne pouvait, somme toute, qu'habiter le vase de mon corps. Pour une figure abstraite, la seule manière de devenir concrète en restant invisible, c'est de contracter mariage avec nous, de se réserver la part la plus grande, de ne nous concéder qu'une dose infinitésimale de visibilité. Et toute celle de réprobation, bien entendu.

Ambiguïté qui, au fond, provient de ce que Cocteau ne pouvait dire, puisqu'il l'ignorait, tout en le sachant : que l'Ange Heurtebise était né, somme toute, d'un contact fantasmatique avec son père, que Heurtebise est, ce qui n'écarte nullement, ainsi que nous l'avons vu, les autres identifications, son père mort, par son entremise réincarné. Cas particulier, singulier d'un fantasme tout à fait général que certains psychanalystes ont cru découvrir à l'origine de la vocation de l'écrivain : sa fécondation préalable par son ou ses pères spirituels, par ceux qu'il a comme tels reconnus et dont il a en quelque manière reçu l'investiture grâce à laquelle il est devenu ce qu'il est [1].

L'apparition du poème étant une naissance, il en résulte évidemment que le poème est l'enfant du poète, mais un enfant devenu immédiatement indépendant de lui. D'où, à côté de l'amour que le poète lui porte à

---

1. Jean Cocteau s'était lui-même implicitement reconnu à une certaine époque comme le fils spirituel d'Igor Stravinski puis même de Radiguet, pourtant beaucoup plus jeune que lui.

cause de cette ressemblance intime, de cette conformité
qui les relie l'un à l'autre, ce sentiment de rivalité,
semblable à celui, pour le fils, du père qui sait fort bien
que cet enfant est destiné à prendre sa place, à le pousser
vers la mort, sentiment que Jean Cocteau a maintes fois
exprimé, et parfois avec violence : « Son œuvre déteste
[le poète], le mange, veut se débarrasser de lui et vivre
seule à sa guise [1] », sentiment tout instinctuel, et,
en quelque manière, biologique, celui même qui, contre-
balançant l'amour parental, compose avec lui cette
ambivalence, cette alliance des contraires qui caractérise la relation père-fils ou mère-fille. Allant jusqu'au
bout de cette perspective, Cocteau met au jour le dernier
terme du processus de la génération qui est finalement
une forme de suicide : le présent renonçant à lui-même,
poussé par une force irrésistible et inconsciente, — celle
de l'espèce, et, dans le cas de l'artiste, celle de cet être
collectif qu'est la pensée de l'humanité, en tant qu'entité
autonome — afin de devenir le futur.

*

Sexuel aussi et plus originel encore, puisqu'il se
réfère à la sexualité archaïque, celle de l'enfant, cet
exhibitionnisme de l'artiste, dont Jean Cocteau avec
beaucoup de lucidité a trahi le secret : « L'art est une
sorte de scandale, un exhibitionnisme dont la seule
excuse est qu'il s'exerce chez les aveugles [2]. » A quoi
on pourrait ajouter que plus ce que montre l'artiste
est indécent, c'est-à-dire intime, plus il l'étale aux yeux
de tous, moins il risque d'être vu par le public. Car ce
qui frappe celui-ci, ce qui le choque, ce ne sont jamais
que les semi-confidences. Il n'en est pas de même de ce
qui le touche, de ce par quoi il communique vraiment
avec l'essence même de l'œuvre et sur quoi il serait bien
en peine de s'expliquer.

1. *Secrets de beauté*, in *Œuvres complètes*, vol. 10.
2. *Discours d'Oxford*.

Jean Cocteau l'a fait à sa place. Reprenant dans le *Discours d'Oxford*, le problème à l'envers, il tente en effet d'établir, avec autant de précision que possible, le constat — scandaleux — de cette interaction réciproque :

> Ce qui nous pousse à ressentir la beauté d'un tableau ou, pour être plus correct, la combinaison de lignes et de volumes capables de nous émouvoir, relève d'un phénomène analogue à celui qui l'emporte sur l'intelligence lorsque la sexualité parle. Une manière de sexualité psychique provoque une érection interne qui s'exerce sans notre contrôle et nous donne la preuve immédiate de l'efficacité des formes et des couleurs aptes à convaincre un point secret de notre organisme. Si ce phénomène ne se produit pas, la jouissance provoquée par une œuvre d'art ne résultera que d'un platonisme d'ordre intellectuel et sans la moindre valeur élective. Elle ne sera que choix de dilettante, opinion insoumise à l'inévitable. Je suppose que la conscience précise de ce qui se passe chez le spectateur lorsque l'œuvre regardée le bouleverse ferait rougir de honte les personnes qui cachent leurs secrets sexuels et ne les affichent que sous une forme où l'aveu s'exprime par de l'enthousiasme.
>
> Je connais cependant des personnes qui doivent ressentir confusément ces choses, puisqu'une pudeur les empêche de communiquer leur enthousiasme et leur dicte une réserve presque froide en face de ce qui les bouleverse le plus.
>
> C'est pourquoi il nous est presque impossible de mesurer l'efficace d'une œuvre d'art que nous avons écrite ou peinte, la véritable admiration ne s'affichant pas par des éloges et s'accompagnant presque toujours d'une gêne insurmontable.
>
> Si je creuse cette étude, que je trouve impor-

tante, je m'aperçois que l'œuvre d'art, qui résulte
d'une éthique et non d'une esthétique, offre toutes
les propriétés d'une présence, avec ce qu'elle
comporte de spécial et n'appartenant à aucune
autre, ou, du moins, appartenant à une catégorie
relevant de la phrase dont se servent les êtres
vulgaires à la poursuite d'un type mâle ou femelle :
« C'est mon genre », que cette œuvre possède un
sexe et un âge, une faiblesse et une force propres
à satisfaire l'appel d'une zone morale correspondant à la peau.

Il va de soi que je ne parle pas de corps ni de
visages physiquement représentés dans le tableau
et plaisant ou déplaisant à tel ou tel, mais du
corps et du visage en soi qu'est un tableau, un
poème, en dehors de la représentation ou de la
signification et par la seule vertu de ses équilibres.
Il faut donc éliminer les amoureux de la *Joconde* de
Léonard, du *David* de Michel-Ange, ou des *Sonnets*
de Shakespeare et ne nous attacher qu'aux très
rares personnes éprises d'une œuvre sans que son
prétexte entre en ligne de compte. Si je me fais
bien comprendre, il s'agira de personnes que la
moindre strophe d'un poème, la moindre touche
d'un peintre, le moindre relief d'un sculpteur,
mettent dans l'état où une sexualité supérieure
commande.

Le rôle de l'artiste sera donc de créer un organisme ayant une vie propre puisée dans la sienne,
et non pas destiné à surprendre, à plaire ou à
déplaire, mais à être assez actif pour exciter des
sens secrets ne réagissant qu'à certains signes qui
représentent la beauté pour les uns, la laideur ou la
difformité pour les autres. Tout le reste ne sera
que pittoresque et fantaisie, deux termes haïssa-
bles dans le règne de la création artistique [1].

1. *Discours d'Oxford.*

Ainsi s'exprimait, fort de toute son expérience, et étant allé jusqu'au bout d'un point de vue maintes fois exprimé partiellement dans ses œuvres précédentes, Jean Cocteau. En somme, selon lui, la communication ne s'établit entre l'artiste et le spectateur, entre l'écrivain et son lecteur que par la reconnaissance d'une sorte de vice secret qu'ils possèdent en commun : elle est comme telle inavouable. De cette particularité, dont la découverte chez autrui provoque un immédiat sentiment de complicité et de sympathie, au sens étymologique du mot, rien n'est plus proche que la perversion sexuelle. L'excuse, la justification de l'artiste est qu'au milieu des aveugles, il existe quelques voyeurs auxquels son exhibitionnisme donne du plaisir.

Pervers fondamentalement, et jouant de sa perversité, l'artiste serait de surcroît un névrosé [1], et même un psychosé. Évoquant le processus par lequel le poète refusant les conventions, se prétendissent-elles révolutionnaires, en est réduit à inventer lui-même les pièges où se prendra peut-être l'invisible, Cocteau, dans *Le Secret professionnel*, décrit très exactement, et sans le savoir, les manifestations caractéristiques de la névrose obsessionnelle :

> Renonçant à la rime et nous refusant aux agréables désordres du vers libre, il fallut bien les remplacer par quelque chose. Ce quelque chose ressemblait pas mal aux tics cérébraux dont l'enfance est presque toujours la victime. Il s'agit de sauvegarder un équilibre mystérieux, d'encombrer sa vie de rites sans être vu, tels que calculs d'après l'âge, les dates ou les numéros des immeubles, cruautés soulageantes, attouchements réitérés d'ustensiles de table ou de boutons de porte, nombre de pas comptés entre les becs de gaz ou les

---

1. Ce qui théoriquement peut paraître contradictoire, puisque le névrosé est un pervers refoulé, mais n'oublions pas que le poète est l'être sublimé par excellence.

arbres, haussements d'épaules à gauche si le
passant nous croise à droite et vice versa, faux
vœux pour déjouer le sort, allant jusqu'à formuler
le vrai vœu pour que le sort s'embrouille, despotisme du rapport entre les noms et les visages,
des jours en couleurs et mille de ces grimaces
profondes qui réapparaissent dès que nous per-
dons notre contrôle nerveux et qui, pour peu
qu'une d'elles se développe démesurément, deviennent la folie.

Et c'est seulement dans la mesure où le travail poétique reproduit ces symptômes névrotiques que le poème
se met à vivre :

La mise en place du verbe, les terminaisons
masculines ou féminines, la pulsation du rythme,
l'incroyable sévérité qui nous empêche là où le
lecteur ne saurait voir que paresse, se forment,
peu à peu, nerveusement jusqu'au supplice. Il
faut à tout prix que la pensée batte comme bat
le cœur avec sa systole, sa diastole, ses syncopes
qui le distinguent d'une machine.

Jamais, sans doute, n'avait-on touché d'aussi près
l'essence même de la poésie, son origine nerveuse, orga-
nique. Ces idées, vagues d'abord et quelque peu incer-
taines, parce qu'en son temps inadmissibles, elles pas-
sèrent pour licence poétique, Cocteau ne cessera de les
affirmer de plus en plus nettement, avec tout le poids
d'une conviction accrue et fondée sur une expérience
constante. Dans le *Discours sur la poésie* de 1958, contemporain par conséquent de la genèse du *Testament
d'Orphée*, c'est de la folie qu'il parlera :

Le poète ? Il n'est autre que la main-d'œuvre
du schizophrène que chacun de nous porte en soi
et dont il est le seul à ne pas avoir honte.

Comme l'enfant, il n'a droit qu'au génie.

Les deux pages qui suivent, et qu'il faut lire en entier
contiennent, entre autres, le récit le plus lucide que Cocteau ait donné des débuts de son aventure :

> Sans le fou qui nous occupe et le survoltage qui
> résulte de son influence, que serait la poésie ? Ce
> que je la croyais être entre mes quinze et mes
> vingt ans, à savoir, la pire erreur dont un jeune
> ambitieux puisse se rendre coupable.
>
> Ma chance fut que l'erreur était si complète,
> le cul-de-sac si parfaitement chemin mort, que je
> ne me suis pas trouvé dans l'impasse où serait
> un jeune homme (j'en connais) continuant à
> prendre l'erreur pour la vérité, à vivre parmi
> l'approbation que l'erreur récolte auprès des foules
> qui l'idolâtrent.
>
> Ma naissance, mon milieu, mes rencontres,
> avaient aiguillé sur une voie de garage les dons
> dangereux que je tiens du dilettantisme artistis-
> tique de mon père, peintre amateur, de mon
> grand-père et de mes oncles, avant que le schizo-
> phrène m'utilise et se manifeste.
>
> Le fou dormait en quelque sorte, lorsqu'en
> 1913, au contact d'un homme en qui la folie
> slave et la sagesse latine forment un couple
> incomparable (j'ai nommé Igor Stravinski),
> son réveil eut la violence d'une de ces mala-
> dies, d'un de ces déséquilibres des glandes que
> ni notre organisme, ni les remèdes ne peuvent
> combattre.
>
> Mon livre, *Le Potomak*, en témoigne.

*

La poésie étant pour lui « solitude effrayante », « malé-

diction de naissance », « maladie de l'âme [1] », Jean Cocteau passera sa vie à fuir ce à quoi il sait qu'il ne pourra
pas échapper. Nous avons vu, à propos de la naissance
de *L'Ange Heurtebise,* qu'il résistait à la poésie comme
l'organisme se défend contre un microbe qui tente de
l'envahir. Plus prosaïquement, cette attitude se reflète
jusque dans sa manière de travailler. Jean Cocteau n'écrivait en somme que sous la contrainte, il évitait autant
que possible cette solitude où il se retrouverait seul à
seul avec son double, son inconscient personnifié, devenu
un maître tyrannique, et obligé à l'écouter, à lui prêter
sa voix. Jamais il ne se mit à une table pour écrire, le
papier blanc lui donnait le vertige. Ses livres, c'est sur
ses genoux qu'il les a écrits, lorsque, mûrs en lui, ils
demandaient impérieusement à sortir, il les a écrits
comme une femme accouche. Certains d'entre eux sont
venus au jour, alors que le poète, le cercle de ses occu-
pations qui le protégeaient, qui le distrayaient, s'étant
rompu, se trouvait momentanément disponible, sans
défense ; c'est ainsi, par exemple, qu'il écrit *La Fin du
Potomak* sur un carnet d'adresses, au cours d'un voyage
en voiture. Mais alors l'Autre le tient et ne le lâche plus.
Ceux qui ont vu Cocteau écrire parlent de son visage
effrayant, de sa tête de possédé [2]. Et, en effet, il ne s'appartient plus. Et il a hâte que cette crise soit finie : d'où
ces œuvres toujours brèves, nées d'un coup, en quelques
jours d'extrême concentration, presque sans ratures,
presque sans corrections. Après quoi, de retour, le poète
enfin soulagé respire, jusqu'à la prochaine crise.

*

1. *Discours d'Oxford.*
2. Jean Marais a dit, à propos de la composition des *Parents terribles :* « C'était la première fois que je le voyais écrire. Il a raconté
qu'une garde-malade lui disait : " Quand vous écrivez, je n'aimerais
pas vous rencontrer au coin d'un bois. " C'est exact, son visage me
faisait peur. »

Si « le génie ne peut être qu'un vice sublime des
sens de l'âme, une dépravation morale, analogue à celle
des sens [1] », formules où, très certainement à l'insu de
celui qui les prononce, se conjoignent significativement
perversion et sublimation — le génie est « la forme
transcendante » de la folie ; « la seule excuse de l'artiste »
est donc « d'apprivoiser la folie », nous pourrions ajouter :
de la rendre positive, et même productive, et par là de
la réinsérer, en effet apprivoisée, et même déguisée,
dans le contexte humain collectif, au sein de la société,
qui, en l'expulsant, se prive de ce qu'elle est, la cinquième dimension. Mais apprivoisement n'est pas domes-
tication ; apprivoiser, c'est d'une certaine manière
obéir, la folie ne se maîtrise pas, ou alors elle se venge.
C'est ce qui arriva à Nietzsche, ce surhomme devenu une
bête, exemple sur lequel Cocteau, pour qui la lecture de
l'œuvre de Nietzsche avait été une découverte bouleversante et qui, vers la fin de sa vie, séjourna plusieurs
fois à Sils Maria [2], n'a pas cessé de méditer : « Malheur
aux artistes qui, comme Nietzsche, refusent d'admettre
en eux une part d'ombre. Le schizophrène se venge et les
envahit [3]. »

Schizophrène sans doute, mais ayant trouvé le moyen
de canaliser son mal, de vivre avec lui et d'une certaine
manière, de le faire, au moins en partie, accepter par
autrui, le poète est prisonnier de cette personnalité :
sa vie, sa vocation sont un piège, une cellule, un bagne [4],
sa seule liberté « consiste à varier l'aspect de sa prison »,
à en orner les murs de graffiti et, s'il se peut, à les trouer,
afin de regarder au dehors [5].

Mais de cette captivité naissent des œuvres, elles
sautent le mur, elles sont libres. Ce sont elles qui, peu
à peu, dessinent la silhouette du poète invisible qui

1. Discours à l'Académie Royale de Belgique (1955).
2. Cf. entre autres *Le Requiem.*
3. *Discours sur la poésie.*
4. Cf. notre citation du *Discours sur la poésie,* in « Pages choisies ».
5. *Des Beaux-Arts considérés comme un assassinat.*

marche dans la rue et que personne ne reconnaît [1], de ce
poète invisible qui survivra à celui qui ne fut en somme
que son support. Mais les œuvres elles-mêmes, ou tout
au moins les chefs-d'œuvre ne sont libres que dans la
mesure où le message qu'elles contiennent est chiffré —
exactement de même que les révélations de l'inconscient
ne peuvent parvenir au conscient que sous ce déguise-
ment sans lequel elles ne pourraient passer le contrôle
de douane de la censure : « Tout chef-d'œuvre est fait
d'aveux cachés, de calculs, de calembours hautains,
d'étranges devinettes. » Et l'auteur de l'*Essai de critique
indirecte* ajoute : « Le monde officiel tomberait à la
renverse s'il découvrait ce que dissimulent un Léonard
ou un Watteau, pour ne citer que deux cachottiers
connus. C'est par ce que Freud traite d'enfantillages
qu'un artiste se raconte sans ouvrir la bouche, domine
l'art et dure. Car cet envers invisible de la beauté en
impose aux personnes qui ne distinguent que l'endroit.
Ministres, académiciens, critiques subissent sans le
savoir l'influence de farces profondes. »

En cernant l'essence du chef-d'œuvre, Jean Cocteau
a donné sans le savoir une remarquable définition de
l'inconscient, définition toute personnelle, née d'une
expérience, d'une aventure qu'il a non seulement voulu
vivre entièrement, mais, dans la mesure du possible,
comprendre. Par quoi, notre œuvre contient de précieuses
révélations que les psychanalystes, à qui il a toujours
tourné le dos, mais non sans reconnaître leurs pouvoirs,
feraient bien un jour d'étudier en tant que telles. Cette
instance à quoi il se réfère n'est toutefois pas seulement
pour lui l'inconscient individuel ni même l'inconscient
collectif, c'est une force cosmique, universelle, un « fluide
fabuleux où baigne le poète, fluide qui préexiste en lui
et autour de lui comme une électricité », une « puissance
occulte qui imprègne l'univers et ne se manifeste pas

---

1. Pas même, comme dans une scène que nous avons citée, d*
Testament d'Orphée, le poète visible qui le rencontre.

seulement par l'entremise de l'artiste [1] ». Cette puissance occulte n'est autre que la mort, en tant qu' « envers de la vie », non du tout son contraire, mais son lieu d'origine, puisqu'elle contient son entière potentialité qui ne se réalisera que progressivement, partiellement, provisoirement. C'est donc en elle et en elle seule, dans cet espace cosmique noir, illimité, bourré de germes que le poète peut puiser. Pouvoir réel, mais redoutable, comme la révélation même du sacré, et qui comporte le risque d'être électrocuté, voire même foudroyé, entreprise imaginaire à coup sûr, mais si l'on veut bien admettre que l'imaginaire, le fantasmatique sont psychiquement tout aussi vrais et bien plus vitaux que le raisonnement. De cette expérience poétique, Jean Cocteau a donné un compte rendu d'une simplicité, d'une retenue, d'une précision à peu près scientifiques, qu'il nous faut citer en entier :

> La poésie dans son état brut fait vivre celui qui la ressent comme une nausée. Cette nausée morale vient de la mort. La mort est l'envers de la vie. Cela est cause que nous ne pouvons l'envisager, mais le sentiment qu'elle forme la trame de notre tissu nous obsède toujours. Il nous arrive de sentir nos morts contre nous et, cependant, d'une sorte qui empêche toute correspondance. Imaginez un texte dont nous ne pourrions connaître la suite, parce qu'il est imprimé à l'envers d'une page que nous ne pouvons lire qu'à l'endroit. Or l'envers et l'endroit, utiles pour s'exprimer à la mode humaine, n'ayant sans doute aucun sens dans le surhumain, ce verso vague, creuse autour de nos actes, de nos paroles, de nos moindres gestes un vide qui tourne l'âme comme certains parapets tournent le cœur.
>
> La poésie active ce malaise, le mélange aux

---

1. *Le Secret professionnel.*

paysages, à l'amour, au sommeil, à nos plaisirs.

Le poète ne rêve pas : il compte. Mais il marche sur des sables mouvants et quelquefois sa jambe enfonce dans la mort.

Il s'y accoutume d'ailleurs, et cela lui paraît vite aussi normal que les folles palpitations qui n'effrayent pas les cardiaques.

La poésie prédispose donc au surnaturel. L'atmosphère hypersensible dont elle nous enveloppe aiguise nos sens secrets et nos antennes plongent dans des profondeurs que nos sens officiels ignorent. Ces odeurs qui arrivent des zones interdites rendent ces sens officiels jaloux. Ils se révoltent. Ils s'épuisent. Ils cherchent à fournir un travail au-dessus de leurs forces. Un merveilleux désordre s'empare de l'individu. Attention! A qui se trouve dans cet état, tout peut devenir miracle.

Les poètes vivent de miracles. Ils surgissent à propos de toute chose, grande ou petite. Les objets, les désirs, les sympathies se mettent d'eux-mêmes sous leurs mains. L'incohérence du sort se rythme pour leur venir en aide. Mais qu'un miracle manque, les nerfs se dénouent, les sens s'assoupissent. On dirait que du doigt devenu maigre la bague magique tombe. Ce sont des périodes pénibles. La poésie, comme une drogue, continue d'agir mais se retourne contre le poète malade et le harcèle de malchances. Le sentiment de mort qui lui était ce que la volupté du vertige est à la vitesse devient un spasme de chute.

Un jour, le doigt engraisse, la bague s'y retrouve et le miracle réapparaît.

Nous sommes ici en face de phénomènes plus spéciaux, sur lesquels nous n'avons aucun contrôle et qui sont à la poésie apprivoisée ce que l'occultisme est à la science.

La poésie, s'il lui arrive de se mêler au mécanisme des rêves, ne provoque aucune rêverie, ni rêvas-

serie. Elle apporte parfois aux rêves un relief,
une violence critique, une superposition de
décors dont le souvenir mêlé à des souvenirs de
veille ajoute à cette nausée morale qui lui est
propre.

La rêverie, la rêvasserie, sont le fait du poète
sans poésie. Car la poésie n'empêche aucunement
la vivacité, l'enfantillage, les jouets d'un sou, les
farces et les fous rires que les poètes mènent de
front avec la plus incroyable mélancolie.

Comme vous le voyez, nous ne sommes pas
loin de l'esprit religieux et de ce que Charles
Péguy appelait *le rire du missionnaire.*

Procès-verbal dont, en plus de l'extraordinaire lucidité, il faut aussi remarquer que, daté de 1921 [1], il
correspond aux débuts de ce poète invisible qui prenait
peu à peu conscience de lui-même en tant que tel au
contact de l'enfant prodige que fut Raymond Radiguet,
lequel possédait, lui spontanément, ce que le poète ne
put trouver que par une brusque conversion et à la
suite d'un long travail intérieur. Dès cette époque, Jean
Cocteau avait donc reçu cette révélation qu'alternativement il dissimulera et montrera au grand jour jusqu'à
en faire le sujet de la plus publique de ses activités en
créant *Le Testament d'Orphée.*

*

Cette source noire de l'art, de la poésie, il ne suffit
pas d'en avoir reconnu l'existence, encore faut-il savoir
comment l'approcher, comment s'y alimenter. Et là
il faut bien reconnaître que Cocteau a essayé de tous les
moyens concevables. Grâce à la pureté, à la curiosité
intactes d'un regard demeuré délibérément enfantin
et systématiquement aiguisé, il a vu les choses dans leur

1. Date de composition du *Secret professionnel*, dont est extrait ce
passage.

fraîcheur, dans leur étrangeté ; il a su, dans le monde rassurant et conventionnel des apparences, dans le monde de nos « sens officiels », que seul perçoivent les adultes, les êtres « normaux », déceler les fissures, les lézardes qui en compromettent la solidité, la prétendue intégrité, montrer du doigt l'insolite par quoi l'invisible se trahit, l'inexplicable qui est là. Attentif jusque dans le sommeil, et plus encore que dans la veille, il a vécu ses rêves, les amenant de force dans le champ de la conscience. Veillant dans le rêve, rêvant dans la veille, il a maintenu levée cette barrière qui les empêche en nous de communiquer, et qui nous prive, en somme, de la moitié de nous-mêmes. Car rêver au sein de la vie, refuser la distinction entre les visions et la vue, n'est nullement, ainsi qu'on le pense généralement, faire preuve d'irréalisme, mais seulement d'un réalisme plus vaste, puisqu'on peut dès lors non seulement y percevoir plus que les éveillés, mais des relations, des structures subtiles, des correspondances et par là des significations secrètes qui relient entre eux des objets et des êtres que l'homme qui se croit éveillé, c'est-à-dire ayant rompu avec ce monde qu'il tient pour illusoire, et où le sommeil, malgré lui, le ramène, voit séparés, isolés, perdus. Ce sont ces rapports, ces significations que Cocteau tentait de traduire avec des mots, malhabiles à cette tâche par essence, puisque leur fonction est au contraire de distinguer.

Encore ces moyens d'appréhension de ce réel, de ce surréel ne lui suffirent-ils point. Avec la drogue, il pouvait à volonté rejoindre ce monde, présent autour de lui et en tout temps, mais dont il se sentait douloureusement séparé. Agissant comme un révélateur, elle levait les doutes qui lui étaient si pénibles, elle le mettait, mais pour un moment et en fraude, face à face avec l'évidence. Dans *Prairie légère*, datée de la « Maison de santé », où il subit sa première désintoxication, Cocteau définit ainsi l'un des effets majeurs de l'opium : « Je profitais vivant du mensonge des morts. »

*

Ces messages captés, comment les transmettre? Là
aussi, Jean Cocteau tâtonna, expérimenta jusqu'à ce
qu'il ait trouvé une méthode, sa méthode. La condition
préalable de sa mise en œuvre est la plus scrupuleuse
honnêteté, fondement de ce qu'il nomme, d'une manière
qui peut prêter à confusion, le « réalisme », mais sur
lequel il s'est expliqué, avec une croissante précision,
dans tout l'œuvre, ainsi que le montrent les trois citations suivantes, datées de 1922, 1932 et 1959 :

> Selon nous, le poète ne fera pas de l'art d'après
> l'art. Il usera du véritable réalisme, c'est-à-dire
> qu'il accumulera en lui des visions, des sentiments
> (je compte le bagage pré-natal) et au lieu de s'en
> servir à la hâte, au risque d'émouvoir par un chan-
> tage comme un brillant journaliste, les laissera
> tranquilles. Ainsi se formera, peu à peu, un amal-
> game, un magasin de rapports inattendus [1].

> Le vrai réalisme consiste à montrer les choses
> surprenantes que l'habitude cache sous une housse
> et nous empêche de voir. Notre nom n'a plus
> forme humaine. Aucun de nous ne l'entend. Il
> arrive qu'un facteur qui nous réveille en le criant
> dans un couloir d'hôtel, une caissière qui nous le
> demande, des élèves qui s'en moquent en classe,
> arrachent la housse et découvrent brusquement
> ce nom, détaché de nous, solitaire et singulier
> comme un objet inconnu. Un fauteuil Louis XVI
> nous frappe devant le magasin de l'antiquaire,
> enchaîné sur le trottoir. Quel drôle de chien!
> C'est un fauteuil Louis XVI. Dans un salon on ne
> l'aurait pas vu [2].

Il (*Le Testament d'Orphée*) est, en outre, réaliste,

1. *Le Secret professionnel.*
2. *Le Mystère laïc,* in *Essai de critique indirecte.*

dans la mesure où le réalisme serait de peindre
avec exactitude les intrigues d'un univers propre
à chaque artiste et sans le moindre rapport avec
ce qu'on a coutume de prendre pour la réalité [1].

Ce réalisme, on pourrait, semble-t-il, l'appeler surréalisme. Si Cocteau ne l'a pas fait, ce n'est pas seulement
pour qu'on ne confonde pas ses expériences avec celles
des surréalistes, qui furent toujours ses ennemis, mais
parce que nul besoin n'était de reconnaître l'existence
d'un surréel, puisque ce qu'il percevait, ce qu'il découvrait et mettait au jour était la réalité même, plus
complète que cette pseudo-réalité, dont, par crainte du
vertige, nous nous contentons d'ordinaire. Cette apparemment insignifiante différence de vocable est donc au
contraire riche de sens. Elle définit de plus la distance
qui sépare Cocteau des surréalistes. S'ils furent parmi les
premiers à le taxer de frivolité et de tricherie, c'est que,
voyant en lui un rival, d'autant plus dangereux que son
innocence aurait pu dénoncer leurs impostures — alors
qu'en fait Cocteau, qui fit tout pour se faire accepter
d'eux, ne vit d'abord en eux que des hommes qui, comme
lui, cherchaient à briser le cercle vicieux où s'était
enfermé l'esprit d'une société —, ils ne trouvèrent que
cette riposte qui consistait à l'accabler de ce dont lui-
même aurait pu les accuser.

*

Car, mieux qu'eux-mêmes, il sut utiliser les ressources à peu près inépuisables que pouvait fournir
l'éclatement du langage. Il a dit dans *Le Potomak*
qu'une œuvre poétique était un dictionnaire en désordre. C'était indiquer ironiquement une méthode,
que l'on peut définir ainsi : rendre aux mots leur liberté. Elle est à la fois très simple et extrêmement

1. Préface au *Testament d'Orphée*.

compliquée ; la preuve en est les longs tâtonnements, les multiples essais auxquels Cocteau eut à se livrer, avant que réussisse l'expérience, que se produise la réaction et que se forme le précipité. Cette recherche commencée déjà avec *Le Potomak* semble trouver un premier aboutissement dans *Le Cap de Bonne-Espérance.* S'inspirant des acrobaties de l'avion de Roland Garros — et évidemment des *Calligrammes* de Guillaume Apollinaire —, le poète laisse les mots évoluer dans la page et parfois tomber en chute libre, entraînés par leur propre poids dans un vide où parfois ils se décomposent — avant-goût des tentatives bien postérieures du lettrisme. Mais cette technique, Cocteau s'en rendit compte, est un artifice, elle n'est qu'expérimentale et reste extérieure, voulue. Alors qu'une véritable méthode poétique ne peut venir que du dedans, apparaître toute formée et s'imposer d'elle-même. C'est ce qui advint avec les fameux calembours d'*Opéra*, qui parurent aux contemporains de simples plaisanteries, des jeux de mots gratuits, bien indignes du caractère unanimement attribué à la poésie. Cocteau, on le sait, fut outré de ce malentendu et à plusieurs reprises tenta de le dissiper, mais il parlait à des sourds dont la conviction était faite, définitivement. Qu'aurait-il pu d'ailleurs leur expliquer, puisque ce mécanisme qui s'était en lui déclenché, il n'en connaissait que les effets, nullement les causes.

Certaines lueurs étaient pourtant parvenues jusqu'à son conscient, mais il n'était pas en son pouvoir — telles sont les limites de l'introspection, et même de l'auto-analyse — de les conjoindre et d'en faire la synthèse.

Par exemple, se comparant à André Gide, il dira en 1952, dans *Gide vivant* : « J'estime qu'un homme doit protéger et garder son enfance, et si André Gide n'avait pas gardé et protégé la sienne, ce n'est pas sa faute, c'est peut-être qu'il n'en a jamais eu. C'est pourquoi il prolongeait sa jeunesse — ce qui n'est pas pareil — et il a prolongé sa jeunesse à l'extrême jusqu'à sa mort. Il avait donc les défauts particuliers à la jeunesse, et n'avait pas ses excuses. » Plus loin, il ajoute : « Je crois donc que s'étant aperçu, ou ayant ressenti, combien j'avais préservé mon enfance, il m'en voulait de ne pas accorder un prix extraordinaire à la jeunesse et d'y rechercher davantage la naïveté que la duplicité. » Cet enfant préservé, qui le guide et l'empêche de tout à fait se perdre, n'est autre que l'angle gardien — Cocteau l'affirmera mais sans jamais y insister, par pudeur sans doute, par crainte aussi d'être une fois encore mal compris, et de donner de nouvelles armes à ses adversaires ou à ses interprètes abusifs. Cet ange gardien joue le rôle de toise, de balance au moyen desquelles tout — êtres comme choses — peut être mesuré, pesé, évalué à sa juste valeur. Pour lui, en somme, l'enfant est la mesure de l'homme. Et c'est en son enfance, sur laquelle il a été en définitive si discret, que réside son secret.

Dans *Opium*, né de sa seconde désintoxication, comme *Opéra* naquit de la première, explorant dans la solitude de la clinique et au cours de ce processus qui mettait dehors ce qui était dedans, les franges de l'inconscient, Jean Cocteau vit se lever en lui nombre de souvenirs, et surtout d'impressions demeurées vives de son enfance, par exemple « la sensation de liberté, de luxe, d'avenir », que lui procura, à dix ans, sa première cigarette dérobée dans la chambre où son grand-père venait de mourir, acte quelque peu sacrilège dont les mobiles inconscients sont psychanalytiquement évidents. Jean Cocteau commente : « On me nommerait roi, on me guillotinerait, la surprise, l'étrangeté ne seraient pas plus intenses que cette ouverture interdite sur l'univers des grandes personnes : univers de deuils et d'amertume. » Ce commentaire confirmerait, s'il en était besoin, qu'il s'agit bien là d'un souvenir-écran : ce que l'enfant a découvert ce jour-là, c'est tout autre chose, quelque chose qui lui a procuré d'abord un sentiment de puissance (« on me nommerait roi ») : qui lui a donné l'illusion d'agir comme un adulte, mais qui finalement l'a fait entrer dans « un monde de deuils » — celui causé par la mort du grand-père, mais aussi par le simulacre de mort qu'il vient de vivre lui-même et qui lui évoque la guillotine : symbole de castration et d'amertume. Toujours est-il que, même consciemment, Cocteau venait bien de retrouver la marque en lui d'un acte accompli pour la première fois, d'une sensation pour la première fois ressentie. S'il est resté si étroitement en communication avec son enfance, c'est bien pour cela, parce que ce fut le temps des découvertes absolues ; de ce fait, l'enfant est le modèle du poète.

Toujours dans *Opium*, Cocteau livre — non sans quelque agressivité à l'égard des psychanalystes qu'il croit mettre au pied du mur, avec le secret espoir qu'ils seront obligés de reconnaître leur incompétence — une bien curieuse et involontaire confidence, sous forme de rêve :

> Je demande aux disciples de Freud le sens d'un rêve que j'ai fait, depuis l'âge de dix ans, plusieurs fois par semaine. Ce rêve a cessé en 1912.
> Mon père, qui était mort, ne l'était pas. Il était devenu un perroquet du Pré-Catelan, un des perroquets dont le charivari reste à jamais lié, pour moi, au goût du lait mousseux. Pendant ce rêve, ma mère et moi nous allions nous asseoir à une table de la ferme du Pré-Catelan, qui mélangeait plusieurs fermes avec la terrasse des cacatoès du Jardin d'Acclimatation. Je savais que ma mère ne savait pas et ne savait pas que je savais, et je devinais qu'elle cherchait lequel de ces oiseaux mon père était devenu. Je me réveillais en larmes à cause de sa figure qui essayait de sourire.

Sans tenter de répondre à ce défi, nous pouvons toutefois remarquer que ce lait mousseux, bu avec la mère, est aussi le lait de la mère, que l'enfant est libre d'en

boire, puisque le père est mort — désir de l'enfant de
retrouver le sein maternel, dont il a été privé par le
sevrage, donc de reconstituer la symbiose avec la
mère —, mais aussi que ce lait est lié à la présence de
l'oiseau, forme sous laquelle survit le père réincarné.
La signification psychanalytique de l'oiseau étant bien
connue, celle du lait — au second degré — en dérive.
Il s'agit d'un perroquet, nom qui contient père, que
l'auteur assimile ensuite à un cacatoès, or ce dont il
est ici question est pour l'enfant quelque chose de
sale. Enfin ce secret que l'enfant connaît et dont il
craint que sa mère ne sache qu'il le sait n'est donc pas
seulement celui que reconnaît la conscience : le suicide
de son père. Notons encore que dans ce rêve, comme
dans le souvenir-écran précédemment rapporté, il est
question de deux morts, des deux hommes de la famille
qui sont morts ; la puissance virile dont le petit garçon
désire s'emparer, qu'il désire un jour égaler, appartient
donc à la mort ; ceci explique certains aspects de la
sexualité de Jean Cocteau, comme de son œuvre.

Mais pourquoi un perroquet? Sinon parce qu'il
s'agit d'un oiseau qui parle, qui imite la voix humaine.
Sinon parce qu'il s'agit du père mort, du père ailé, de
l'ange. Or que fait le poète, comme le mystique — dans
toutes les civilisations — sinon justement de comprendre
le langage des oiseaux? Il n'est donc pas étonnant que
ce rêve ait hanté Jean Cocteau, qu'il se soit indéfiniment
répété depuis la mort de son père, puisqu'il constituait
une sorte de rêve initiatique, chamanique, puisqu'il lui
annonçait sa vocation : saisir le langage des oiseaux, des
morts [1], et le transmettre aux vivants, et que ce pouvoir
il l'avait déjà, depuis l'enfance, reçu. Nullement surprenant, non plus, que le rêve ait cessé en 1912, c'est-à-dire
après la rencontre avec Stravinski, dont Cocteau fit
aussitôt une sorte de père spirituel, rencontre qui, il l'a

1. Les oiseaux sont aussi les âmes des défunts, cf. le ba des anciens
Égyptiens.

dit et répété, devait être déterminante et engendrer
Le Potomak.

Ce « charivari » au milieu duquel il est difficile d'isoler
des mots, de reconnaître un sens, ce langage des per-
roquets — qui lui devient tout à coup accessible — ne
sont autres que la langue du rêve, dont Cocteau écrit
dans le paragraphe d'*Opium* qui précède immédiatement ce texte et très probablement sans avoir fait le
rapprochement, autrement il ne demanderait pas qu'on
lui explique son rêve, puisque cette phrase en contient
justement la solution : « Langue vivante du rêve, langue
morte du réveil... Il faut interpréter, traduire. », phrase
qu'il convient évidemment de rapprocher de celle que
Cocteau avait déjà placée en tête du *Discours du grand
sommeil* : « traduit de quoi ? de cette langue morte, de ce
pays mort, où mes amis sont morts », et aussi de cette
« langue ni vivante ni morte » du *Testament d'Orphée.*
La langue du rêve, langue vivante, est donc celle des
morts, elle meurt au réveil et seul le poète peut la faire
revivre. Elle est mensonge — « le mensonge des morts »
— « les mensonges de Dieu » — c'est-à-dire vérité non
encore reconnue en tant que telle, mensonge pour la
conscience, mais vérité pour l'inconscient. Et c'est dans
ce sens qu'il faut interpréter la phrase fameuse, cause de
tant de malentendus : « Je suis un mensonge qui dit
toujours la vérité. » Nous avons déjà signalé, en le citant,
comment Cocteau sut utiliser le rêve. Or, la version
manifeste du rêve — sous laquelle se cache, voilé, son
contenu latent, inaccessible, lui, à la conscience —
repose, selon nous [1], précisément sur l'usage d'un
langage spécial qu'il suffit d'analyser pour s'apercevoir
qu'il présente les caractères essentiels de celui qu'emploie
l'enfant qui apprend à parler, langage entendu et non
écrit, langage non encore rationalisé, normalisé, où les
mots existent en soi, en fonction de leur résonance
plutôt que de leur sens, où ils sont tout neufs et chargés

---

1. Cf. *L'Expérience du rêve*, 1969.

encore d'affectivité, langage donc moins utilitaire, moins instrumental, que source de plaisirs, de découvertes, accompagant et connotant l'émerveillement de l'enfant devant la nouveauté du monde qu'il explore [1].

C'est cette langue-là, archaïque, archétypale, qu'emploie, que devrait employer le poète, puisque, comme l'enfant, il découvre et s'émerveille, puisque, décapant le langage, il le retrouve par-delà toute sclérose, dans l'étincelante pureté qu'il eut autrefois, quand il l'apprit.

Les jeux de mots, les calembours d'*Opéra* proviennent de cette source. Car l'enfant, lorsqu'il les entend, les retient et les répète, joue avec les mots et d'autant plus facilement qu'il ne les connaît encore qu'oralement. Ainsi peut-il les désarticuler et en assembler, au gré de sa fantaisie et de sa compréhension particulière, les syllabes. Ce n'est pas seulement sur les phonèmes qu'il joue — et chaque son indépendamment du mot où il se trouve encastré, a sa tonalité propre, chargée d'affectivité — mais aussi sur les significations. Tout mot pour lui est équivoque, contient une multitude de sens possibles, amène avec lui, quand il est prononcé, toute une parcelle d'univers, comme aux racines de la plante arrachée colle une motte de terre, car le monde ne s'est pas encore fragmenté en ces menus éclats isolés les uns des autres qu'il deviendra pour l'adulte. Tout encore se tient par un tissu serré de correspondances, dont rendent compte les étymologies spontanées — et pour la linguistique évidemment aberrantes — qu'il se forme selon les apparences du mot. Tout enfant se construit ainsi un langage qui est une véritable création — d'ordre poétique — que les réprimandes des adultes et l'école lui font le plus souvent oublier.

C'est vers cette langue — langue de perroquet, puisque l'enfant répète, et d'abord sans discernement, ce qu'il entend — que tend la poésie de Jean Cocteau

---

[1]. Trop vite, l'enfant, à cause, en particulier, de la scolarité, passe de ce langage qui répond principalement au principe de plaisir à la langue qu'on lui inculque et que régit le principe de réalité.

au moment d'*Opéra*, car elle est la langue des premières
fois, la langue de la découverte innocente du monde.
Mais elle devient évidemment chez lui tout autre chose,
puisqu'elle est redécouverte et donc désapprentissage. Il
faut désapprendre le monde pour le connaître, cesser
de le connaître pour l'aimer et le vivre. C'est à cette
expérience, primordiale, de déconditionnement que revient toujours Cocteau.

Supportée passivement — et l'on voit maintenant
pourquoi — l'école l'a à peine entamé, mais c'était trop
encore :

> *Le seul malheur est que je ne sache pas lire* [1].
> *Qu'avez-vous fait de moi, écoles de France ?*
> *Vos sucres d'orge, vos tambours, vos tire-lires*
> *Sont les premiers accessoires de ma souffrance.*
>
> *Tout est à recommencer maintenant.*
> *Tout est à recommencer, mon Dieu.*
> *L'âne et le bœuf réchauffent un diamant*
> *Surnaturel. Regardez ! Mais regardez-le !*

dit-il dans *Prière mutilée*, qui fait partie d'*Opéra*, mais
dont il a pris soin de préciser qu'elle remontait à 1921.
Poème donc contemporain du *Secret professionnel*, et
capital, car s'y exprime la claire conscience de la vocation et s'y amorcent presque tous les thèmes qui se
trouveront peu à peu développés en quarante années
d'expérience poétique. Y figurent déjà, entre autres, le
« vitrier » qui deviendra l'Heurtebise d'*Orphée* et des
fragments de la future *Crucifixion*. Mais c'est à une
naissance qu'ici on assiste sur un fond de Passion et de
mort, celle du poète identifié à Jésus, le Fils qui rend
témoignage au Père, lequel figure dans le poème sous
forme d'oiseau, donc de Saint-Esprit, la colombe qui

---

1. C'est donc bien à la période du passage de la langue entendue et
dite à la langue lue, puis écrite, du passage de la maison à l'école qu'il
se réfère.

engendre Jésus et descend sur lui lors de son baptême, de Saint Esprit, c'est-à-dire de souffle inspirateur, de Πνευμα qui donne le « don des langues » :

> *Voici que rossignol chante la fin du monde*
> *Dieu s'exprime en ami par ses trilles de folle.*
> *Un coup, pur à son cœur, s'élance de la fronde*
> *Et fait du haut en bas tomber ce rossignol.*
>
> ....
>
> *Il faudrait arrêter les outrages du rire*
> *Le radium qui tue avec des armes bleues*
> *Surveiller les oiseaux comme la poêle à frire*
> *Comprendre la douceur des mensonges de Dieu.*

Faisant plus directement allusion au rêve que nous venons de citer, Cocteau, dans « Par lui-même », le poème qui ouvre *Opéra*, dit, parlant de son enfance, de ses dix ans :

> *Ensuite ont commencé la cire* [1], *les ciseaux,*
> *Les bustes comprenant la langue des oiseaux,...*

Tout est signe, tout parle, même les bruits les plus familiers, à qui sait écouter. Dieu emprunte toutes les voix, même les plus inattendues, afin de se faire entendre des sourds que nous sommes.

Et ce thème de l'oiseau, intimement mêlé à celui de l'ange, à celui de Dieu, court, à demi souterrain dans tout le recueil, pour émerger brusquement, là où on l'attendait pas :

> *Un oiseau, saccagé par sa maison de pluie,*
> *Sans tête dort bossu. Dieu se cache sous lui.*
> *Dieu tatoué d'oiseaux, même sur le visage,*
> *Est trahi quelquefois par l'ombre d'un grillage.*
>
> (A bas la Terre)

---

1. Évidente évocation d'Icare, le fils muni d'ailes par le père mais que sa présomption fait tomber dans le vide, dans la mer, dans la mort.

Vous avez mes oiseaux et les pattes de craie.
Sur l'ardoise
J'apprivoise
Et je lave les secrets.

Vous avez mes oiseaux et l'écume des plumes.
Mais que faire
L'eau s'allume
Et il pleut du fil de fer?

Vous avez une éponge et pattes de ficelle.
Sur le dos
Une selle
Et l'ardoise des oiseaux.
(Je vole en rêve)

Jolis oiseaux, vite en selle !
L'eau de puits rouille vos ciseaux
Vous fait penser ainsi que des roseaux.

Elles d'oiseau
Oiseau des ils
Un doigt de sel
Vous apprivoise.

Oiseau dépliés l'eau de pluie
Et les phares vous défardent.

Comme elle découpait le bruit dans le silence
Il bataille sans aile et patte en l'air des lances. »

(Uccello)

Dans ces trois poèmes qui se font suite dans *Opéra*, l'oiseau apparaît non seulement comme le messager — et même celui qui de l'empreinte de ses pattes écrit sur l'ardoise de l'écolier-poète les messages —, mais comme une monture capable d'emporter le poète vers l'empyrée ; un dessin de l'auteur explicite cet aspect : il représente un adolescent qui, à l'envers, s'accroche au cou d'Athéna, fille de Zeus, variante de

la légende de Ganymède, laquelle sera représentée par
de multiples allusions dans l'œuvre où le divin échanson
ne sera plus cet être mièvre et érotisé qu'il est devenu
dans la mythologie de basse époque, mais bien ce qu'il
est originellement, l'image même du chaman, redécouverte du sens véridique du personnage, identique à
celle qui fait retrouver à Cocteau, sous l'ange émasculé
de la tradition chrétienne, le robuste et redoutable
Kérubim.

Opéra, à bien des égards insurpassable dans sa nouveauté, dans sa spontanéité, est presque entièrement
écrit dans ce langage des oiseaux, des enfants, qui est
peut-être le langage même de Dieu mis à notre portée,
sa manière de se faire comprendre de nous. On y rencontre le découpage des mots en leurs phonèmes expres-
sifs et leur réassemblage qui, les choquant, tire d'eux
de nouvelles étincelles, les chaînes verbales qui abou-
tissent brusquement à la révélation de l'inconnu, le
jeu des homonymies qui dévoile de surprenants rapports,
constitue des familles verbales et fonde une sorte
d'étymologie « sauvage » : tortue et torture, bras et
brasero, bal et balcon, par exemple, les mots-pièges où
se prend de manière incongrue la signification, les
devinettes qui sont divination, qui sont oracles.

Opéra naquit de l'épreuve physique, la très pénible
désintoxication de 1925, d'où sortit aussi le premier
portrait extériorisé du Poète, le premier *Orphée*. Il en
ira de même de *Léone*, de *La Crucifixion*, enfin et surtout du *Requiem* de 1959-1961, qui vit le jour à la suite
d'une hémoptysie. Il semble donc que les sommets de
l'œuvre poétique n'aient pu surgir que dans ces moments
d'affaiblissement, de repli et de dépossession que pro-
voquent la maladie et la souffrance, sans doute parce
qu'alors le contrôle du conscient, et avec lui les résistances, se relâche.

Lorsqu'en 1952 débute une nouvelle série poétique,
la dernière, qui va du *Chiffre sept* (1952) au *Requiem*
(1962), Jean Cocteau vient d'entrer dans une phase plus

calme, plus détendue de sa vie. Il s'est fixé désormais d'une façon presque permanente sur la Côte, à la villa Santo-Sospir, se trouve enfin dégagé des soucis matériels et jouit d'un climat et d'un confort qui conviennent à sa santé et à son âge. Il recommence alors une nouvelle carrière dans les arts qu'il avait jusqu'alors sporadiquement pratiqués. Il aborde la vieillesse en pleine conscience et s'achemine vers la mort qu'il sait proche et qui, à partir de 1955, le guette et joue à cache-cache avec lui. Il se prépare dès lors à faire ses adieux à cette Terre « si insolente et si inconfortable » qui lui a donné plus de désillusions que de joies, mais que pourtant il aime.

Désormais ses messages sont sous la caution de cette mort, invisible mais présente, au seuil de laquelle il se trouve et d'où il parle. Et s'il se plaint encore de n'avoir pas été entendu, dans *Le Chiffre sept* et dans *Clair-Obscur*, il en vient très vite à penser que ces regrets sont vains et ne doivent pas l'empêcher de venir à bout de la tâche qui lui reste à accomplir. Bientôt il renonce à être suivi, il se détache et demeure seul avec son œuvre, s'adressant à des auditeurs qui n'existent pas encore.

Dès lors, libéré du souci de se faire immédiatement comprendre, il change peu à peu de ton, devient hautain, prophétique, apocalyptique parfois, mêlant le sarcasme et l'imprécation, mais atteignant aussi à une certaine forme d'humour détaché qui ressemble à celui des maîtres du Zen. A plus grande profondeur, se produit en lui un mouvement parallèle : la distinction entre le conscient et l'inconscient, entre la vie et la mort, entre le Bien et le Mal a pour lui définitivement cessé d'exister. La censure, le cortex se relâchant de leur fonction freinatrice, fait irruption l'inconscient en qui le sublime et l'obscène sont intimement intriqués, d'où certains poèmes — en particulier dans *Paraprosodies* — où réapparaît la sexualité, mais sous une forme violente, sauvage, à laquelle Cocteau n'avait pas habitué son lecteur, sexualité comme remontée par-delà l'oubli, les inhibitions et les frustrations, de l'abîme que tout être porte en lui. Ainsi se conjuguent, sans se heurter, le plus haut et le plus bas, l'un n'allant pas sans l'autre ; le poète prenant dès lors sa véritable dimension, couvrant tout le champ de sa propre identité, de ses propres potentialités, enfin et définitivement reconnues entre ses extrêmes.

Il en résulte évidemment que ces poèmes échappent au lecteur. Dans la mesure où c'est « la bouche d'ombre » qui parle, la poésie anticipe sur un état de conscience qui n'appartient encore qu'à l'avenir. Et cette partie de l'œuvre est, de propos délibéré, et suivant une exigence tout intérieure, véritablement posthume.

Ceux qui avaient escorté jusque-là Jean Cocteau le lui ont reproché ; ils ne pouvaient plus désormais l'accompagner. Et Cocteau leur répondait : « Faites-moi la grâce de ne pas confondre un miroir avec une porte [1] », car cela désormais se passait par-delà le miroir, et n'était capable de le suivre que celui qui pouvait passer de l'autre côté.

A cette nouvelle étape — correspondant au film initiatique qu'est *Le Testament d'Orphée*, lequel, un temps, porta en sous-titre : *ou Ne me demandez pas pourquoi* —, devait correspondre un nouveau langage, une nouvelle poétique. Cocteau en découvrit quelques éléments dans les poètes espagnols, de Gongora à Lorca, lesquels avaient façonné un mode d'expression où le mystère se concrétisait sans s'expliquer, sans cesser d'être mystère, où le caché se révélait, s'inscrivait, en tant que caché, clarté et obscurité s'engendrant l'une l'autre, de manière illimitée, indéfinie, faute d'être infinie.

Sur ce modèle, Jean Cocteau se proposa de métamorphoser la poésie, en la faisant redevenir non musicale, mais musique [2], c'est-à-dire prosodie, les sons et les accents y reprenant leur valeur que la langue française

---

1. Phrase placée en exergue des *Paraprosodies*.
2. Il l'avait déjà tenté au théâtre, avec *Renaud et Armide* (1943), mais à un niveau inférieur.

a partiellement éliminée, le langage devenant dès lors
plus affectif que rationnel, plus évocateur que signifiant,
essai où il faut voir l'aboutissement du mouvement
amorcé avec *Opéra* et qui semblait s'être de lui-même
épuisé, alors qu'il renaissait ici de ses cendres, essai que
les érudits ne manqueront pas de rapprocher des expériences des poètes du XVIᵉ siècle.

C'est évidemment dans cette partie de l'œuvre —
pratiquement inédite, bien que publiée, parce qu'encore
difficilement accessible —, qu'il conviendra d'en chercher le sens ultime.

*

Pourtant, lorsque, frappé par la mort, Jean Cocteau,
exsangue, immobilisé, couché sur le dos, impuissant et
tout-puissant comme le petit enfant, « faisant la planche
sur le fleuve des morts », tout près de sa naissance et tout
près de sa fin, conçut son dernier poème, il sembla se
rapprocher de la Terre et des hommes. C'est qu'il lui
importait, en ce solo du dernier acte, d'être tout de
même compris. Il n'empêche que *Le Requiem* est encore
un poème « clair-obscur ». Le poète laisse couler de lui
le fluide vital qui se coagule comme une résine en ce
poème récapitulatif, où se retrouvent tous les thèmes,
tous les échos d'une vie, et qui, aussitôt après le dernier
portrait du poète, *Le Testament d'Orphée*, referme le
cycle poétique inauguré avec *Opéra*.

Fluide, presque ininterrompu, puisque non ponctué
— la voix seule du lecteur, sa compréhension, sa saisie
du rythme respiratoire, systole et diastole, établissant
les arrêts et l'accent —, et de ce fait poème destiné à
être lu à haute voix, fluide qui entraîne les syllabes au
point de provoquer des césures hérétiques, et jusqu'à des
enjambements sacrilèges, fluide qui draine en un fleuve
convergent, débouchant vers la mer, vers la mort, tous
les menus affluents qui proviennent des coins les plus
intimes, les plus hors d'atteinte de l'être, pur jeu des

associations enfin totalement libérées qui font aller le poète du passé le plus enfoui — jusqu'à ces lueurs bizarres provenant d'où ? des vies antérieures mystérieusement resurgies dans la mémoire ? — à l'avenir indicible, nirvanique, qui l'attend.

Car cet adieu à la vie n'est nullement nostalgique, les amertumes, les regrets trop lourds sont tombés au fond ; c'est l'annonce joyeuse d'une libération, obtenue grâce à une évolution personnelle et secrète, à une expérience spirituelle, où se conjoignent les tentatives les plus diverses et les plus éloignées dans l'espace et le temps, de l'homme pour vaincre sa propre mortalité et atteindre la communication avec un dieu cosmique [1].

La prison enfin s'est ouverte :

> *Merci prison grande ouverte*
> *De témoigner contre moi*

Et commence le voyage de l'âme dans l'au-delà, comme dans le *Livre des morts* égyptien, comme dans le *Bardo Thödöl* tibétain, non du tout que Cocteau s'en inspire. Cette expérience il l'a de bout en bout vécue, elle lui est entièrement personnelle. Alors l'ange devient ce qu'il a toujours été en puissance, un psychopompe, l'Hermès d'Orphée, le Virgile de Dante. S'agit-il là d'une hallucination, d'une vision ? Oui et non. Car si le poète « voit », il ne quitte nullement la chambre où il est alité ni les objets familiers qui l'entourent. Ce ne sont pas eux qui se métamorphosent, mais lui, lui qui a acquis le pouvoir d'en percevoir non plus l'apparence temporelle, mais l'éternelle réalité. Comme dans l'état mystique — que singe la drogue —, le monde est devenu ce qu'il était — et qu'on ne soupçonnait pas auparavant qu'il fût — ; il a cessé d'être, il est devenu autre, il est enfin redevenu ce qu'il était, mais dès lors équivoque.

Il faut donc bien se garder de voir ici des images

---

1. Tentatives auxquelles il est fait plus d'une allusion dans le texte.

« poétiques », des allégories, ou même des symboles, car ces symboles ne seraient symboles que d'eux-mêmes. *Le Requiem* est le récit d'une expérience, rebelle par essence à toute formulation et qu'il a fallu faire de force entrer dans les mots.

Mais n'en a-t-il pas toujours été ainsi ? La lecture du *Requiem* éclaire rétrospectivement d'une lumière que tout d'abord on n'y avait pas vue, les œuvres antérieures, elle garantit la sincérité, l'authenticité d'expériences exprimées, sur lesquelles le doute avait pu subsister. L'œuvre entier, dès lors, devient, à travers toute la faiblesse humaine, une quête de l'éternité, une « Recherche de l'Absolu ».

Si son temps ne l'a pas entendu, — et lui-même, le Cocteau trop visible, en est dans une certaine mesure responsable : par incertitude, par pudeur, il a trop brouillé les pistes —, c'est qu'il s'adressait aux hommes de demain : « Je dérangerai après ma mort », à l'avenir donc de le découvrir.

2 février 1970.

Les livres

Le Potomak (1913-1914), précédé d'un Prospectus (1916.)

Dédié en 1913 à Igor Stravinski. Publié en 1919, puis en édition complétée et définitive en 1924. Autour de dessins apparus spontanément sous sa plume, « L'Album des Eugènes ou une Histoire qui de finir bien n'en que plus mal se termine », représentant des sortes de vampires adipeux et féroces, mais traités avec humour, autour du récit de ses visites à un monstre qui vit en aquarium dans les caves de la place de la Madeleine, des strates successives évoquent la mue que subit le jeune Cocteau, « prince frivole » et trop gâté, lorsqu'il rencontra les maîtres exigeants qui devaient l'obliger à devenir lui-même, c'est ici sa première mort et sa première résurrection. Cocteau pour la première fois écrit ce qu'on lui dicte, sans toujours le comprendre, et le livre projeté devient une sorte de brouillon de tout l'œuvre futur, où il est contenu en puissance, mais non encore déroulé, presque indéchiffré. Il en résulte un « livre par le vide », un livre annoncé, préparé et finalement critiqué, mais qui toujours se dérobe, dessinant en creux le portrait du poète. L'humour souvent déconcertant marque ici la distance que prend Cocteau par rapport aux épreuves initiatiques qu'il a traversées, aux options essentielles qui viennent de se décider en son for intérieur.

Le Cap de Bonne-Espérance *(1916-1919.)*

Publié en 1919 et dédié à « Roland Garros, prisonnier en Allemagne ». Autour de ses premiers vols, en 1914-1915, en compagnie du célèbre aviateur, s'organise un univers poétique nouveau : celui de l'homme échappant provisoirement à la pesanteur, « s'arrachant un peu à la Terre », la voyant de haut, du dehors. Cette expérience de « tentative d'évasion », elle est aussi « invitation à la mort » — deux titres des subdivisions du poème. Y paraît déjà l'Ange, personnifié par l'aviateur aux pouvoirs surhumains. Et aussi, dans *Géorgiques funèbres*, des images de la guerre, évoquant la présence de Cocteau, ambulancier volontaire, pendant le bombardement de Reims qui fit brûler la cathédrale. La révélation qu'est le baptême de l'air conduit le poète à exposer en préambule une *Ébauche d'art poétique*, et partant à désarticuler la poésie à coups de néologismes, de collages, jusqu'au lettrisme, de telle sorte que le poème devienne « hélice d'avion », « tresse en câble » et que se dessine typographiquement sur la page des loopings. Sans doute ici Cocteau n'a-t-il pas encore trouvé sa voix — il est trop préoccupé de rompre avec sa ligne précédente —, celle des premiers recueils qu'il a reniés —, et les réminiscences de Rimbaud et d'Apollinaire sont-elles perceptibles, mais au moins a-t-il déjà passé « le cap ».

Discours du grand sommeil *(1916-1918.)*

Publié en 1924 dans *Poésie 1916-1923*, ce long poème écrit pendant la guerre est dédié à la mémoire de Jean Le Roy, et précédé de l'épigraphe : « Traduit de quoi ? De cette langue morte, de ce pays mort où mes amis sont morts. » C'est en effet de la mort, que Cocteau a vue de près et qui l'a frappé dans ses affections, qu'il est ici question. A côté de l'évocation de ses camarades, les fusiliers marins de Nieuport — *L'Adieu aux fusiliers marins* — apparaît, en particulier dans le *Discours du grand sommeil* proprement dit, le thème de l'Ange que la guerre et la mort lui ont révélé, ont fait en quelque manière sortir de lui. Mais la pièce la plus étonnante du recueil est un poème en prose, *Visite*, évocation bouleversante des premiers instants qui suivent la mort. Ici pour la première fois le poète, par un étrange et redoutable privilège, entre vivant et de plain-pied dans ce domaine interdit d'où il rapportera d'énigmatiques messages.

Le Coq et l'Arlequin (*Notes autour de la musique*).

Écrit et publié en 1918 aux Éditions de la Sirène que Cocteau vient de fonder avec Blaise Cendrars, c'est, sous forme de notes, d'aphorismes, dont quelques-uns, repris, deviendront de célèbres maximes de conduite, le manifeste, dédié à Georges Auric, « d'une école que rien ne fait pressentir, sinon les prémices de quelques jeunes, l'effort des peintres et la fatigue de nos oreilles », et plus particulièrement la justification de la tentative mal accueillie l'année précédente de *Parade*. Cocteau y rend hommage à Erik Satie.

Plusieurs appendices accrochés à ce texte très bref : des fragments de *Igor Stravinski et le Ballet russe*, faisant partie de *La Noce massacrée*, — dont Cocteau ne conservera par ailleurs que les *Visites à Barrès* —, pages qui déplurent vivement à Stravinski, offensé de se voir préférer Satie ; une lettre datée du printemps 1917 sur « La collaboration de *Parade* ».

En 1924, préparant la réédition du *Coq et l'Arlequin* dans le recueil *Le Rappel à l'ordre*, Cocteau, réconcilié avec Stravinski, y ajouta *Stravinski dernière heure*, et *La Beauté se compromet encore une fois avec nous*, compte

rendu de deux manifestations du « Groupe des Six » à
Monte-Carlo, où Diaghilev monta *Les Biches* de Poulenc
et *Les Fâcheux* d'Auric.

Ode à Picasso.

Ce poème abrupt et rapide comme un éclair qui traverse en diagonale la page, est moins un hommage
qu'une transcription verbale des objets et des thèmes
du peintre, qu'un portrait d'une méthode, et finalement,
en transparence, un portrait du poète lui-même, utilisant pour se peindre le geste de Picasso.

Carte blanche (Portrait de journalisme).

Recueil des articles publiés sous ce titre dans *Paris-
Midi* du 31 mars au 11 août 1919, et en librairie en 1920.
Cocteau s'y proposait de « mettre chaque semaine le
lecteur au courant des valeurs nouvelles ». C'est donc
une défense — contre les sarcasmes, contre l'indifférence
du public — et illustration des « formes d'art nouvelles »
en poésie, au théâtre, dans les spectacles de Paris. Cocteau reconnaît que, s'adressant aux lecteurs inattentifs
d'un journal, il a dû parler « un peu gros ». *Carte Blanche*
fut réédité en 1926 dans *Le Rappel à l'ordre* avec quelques ajouts.

Poésies (1917-1920).

Œuvre de transition, destinée à illustrer le courant
poétique nouveau, manifesté dans la peinture, dans la
musique et au théâtre par tant d'œuvres auxquelles
Cocteau fut de près ou de loin associé, ce recueil contient
l'amorce d'une méthode poétique faite de dissociations
et de rapprochements déconcertants, mais nullement

arbitraires que Cocteau utilisera plus tard systématiquement comme un révélateur, ainsi que quelques poèmes déjà très achevés où figurent certains des thèmes qui deviendront dans l'œuvre récurrents, tel *Le Secret du bleu*.

Les Mariés de la tour Eiffel.

Pièce représentée pour la première fois au théâtre des Champs-Élysées par la compagnie des Ballets suédois de Rolf de Maré. Musique de Germaine Tailleferre, Georges Auric, Arthur Honegger, Darius Milhaud et Francis Poulenc. Chorégraphie de Jean Cocteau. Décor d'Irène Lagut. Costumes et masques de Jean Hugo.

La scène se passe sur la première plate-forme de la tour Eiffel, où vient se faire photographier une caricaturale noce bourgeoise, général en tête. La noce s'agite, évolue. Deux phonographes, placés à droite et à gauche au premier plan, commentent l'action et récitent les rôles des personnages, tissu de lieux communs et de phrases toutes faites. Cette dissociation donne au texte de ces dialogues bouffons une étrange et profonde résonance, exprime la déconcertante poésie du banal.

Dans une longue préface de 1922, J. C., déçu par l'accueil réticent du public, s'explique sur ce qu'il a voulu faire : « Vide du dimanche, bétail humain, expressions toutes faites, dissociations d'idées en chair et en os, férocité de l'enfance, poésie et miracle de la vie quotidienne, voilà ma pièce », et souligne la portée d'une phrase du photographe qui devait devenir célèbre : « Puisque ces mystères nous dépassent, feignons d'en être l'organisateur. »

Visites à Maurice Barrès.

Publié en 1921 aux Éditions de la Sirène, avec le sur-

titre *La Noce massacrée*, qui annonçait d'autres por-
traits-charges que Cocteau détruisit, à l'exception de
Igor Stravinski et le Ballet russe, publié dans *Le Coq et
l'Arlequin*, l'ouvrage, dédié à Raymond Radiguet, alors
âgé de dix-sept ans, porte en sous-titre : *Parodie*. Le
texte, très court, écrit en 1917, est une caricature fidèle
du Barrès paradoxal, à la fois ultra-nationaliste et dilet-
tante exotique, tel que Cocteau le vit en 1914. Afin
d'écarter les malentendus qui n'avaient pu manquer de
se produire, Cocteau y a ajouté en 1924, en vue de sa
republication dans *Le Rappel à l'ordre* (1926), une préface sur le thème : on a le droit de se moquer de ce qu'on
respecte.

Le Secret professionnel.

Publié en 1922, écrit durant l'été 1921 au Piquey,
auprès de Radiguet qui composait *Le Diable au corps*,
et dédié « aux étudiants des Belles-Lettres de Genève
et de Lausanne », c'est un des textes majeurs de poésie
critique. Au contact de Radiguet qui le secoue comme
pour faire tomber de lui le superflu, Cocteau définit son
esthétique la plus personnelle, se définit lui-même dans
sa ligne la plus pure, c'est-à-dire définit ce qu'est dans
son essence, ce que doit être le poète. Le style : « Une
façon très simple de dire des choses compliquées. »
Définition du personnage de l'Ange, inséparable du
poète, du fluide dans lequel nous baignons, mais que seul
le poète, découvreur d'inconnu, peut transcrire de l'invisible, de la mort, « envers de la vie ». De ce texte se
dégage, plus encore qu'une esthétique, une éthique à la
fois austère et exaltante, que Cocteau développera plus
tard, mais déjà ici tout entière contenue, celle du poète
prométhéen, explorateur du dedans et révélateur des
secrets du monde.

Vocabulaire.

Recueil de poèmes, publié en 1922. Mettant au point ses instruments d'explorateur du « lointain intérieur », Cocteau ouvre ici tout grand une sorte d'éventaire des réalisations possibles. Il essaie sa voix et tente par un réglage millimétrique de l'adapter au message. C'est pourquoi le recueil oscille entre le style oraculaire, qui parviendra à maturité dans *Opéra*, dans *Objet difficile à ramasser* (qui est la poésie), *Angélus*, ou *Écume de mer pain enchanté*, et le discours ronsardisant de *M'entendez-vous ainsi ?* Mais le message est déjà présent, constamment en filigrane, parfois apparaissant tout vif en perçant la trame du poème, quand il ne le constitue pas tout entier, comme dans *A force de plaisirs*, où Cocteau atteint une de ses cimes poétiques et qui préfigure *L'Ange Heurtebise* et *La Crucifixion*.

D'un ordre considéré comme une anarchie.

Texte de l'allocution prononcée au Collège de France, le 3 mai 1923, et publié en 1926 dans *Le Rappel à l'ordre*. Cocteau y définit « un système d'idées qui nous dirige et relie entre eux nos actes les plus incohérents », commente quelques-unes de ses œuvres — dont il lut des fragments —, tente de dissiper quelques malentendus à son sujet, mais surtout cite ses maîtres : Erik Satie et Picasso, et place à côté d'eux Radiguet dont on vient de publier *Le Diable au corps*.

Plain-Chant.

Publié en 1923. Il s'agit ici non plus d'un recueil comme les précédents livres de poésie, *Poésies (1917-*

1920) et *Vocabulaire*, mais d'un long poème au rythme diversifié sur un sujet unique, d'un long poème d'amour. Sous l'influence de Radiguet, Cocteau adopte ici le mètre classique et la rime, et, se soumettant à cette stricte discipline, met à profit toutes les occasions qu'il y découvre. Par là *Plain-Chant* se situe à l'opposé d'un néo-classicisme par son extrême densité : les angles morts, la parole vide devenant les nœuds de plénitude du poème. Trouve ici sa parfaite expression le thème du dormeur qui échappe à l'amant — à la même époque, J. C. exécute une série de portraits de Radiguet endormi —, celui de l'identité du sommeil et de la mort. Et s'annonce *L'Ange Heurtebise* : « Chaque fois que je m'amuse / On ne souffre pas par lui / Mon ange, espèce de muse, / Me replonge dans la nuit. »

Picasso.

Bref essai publié en 1923 et repris dans *Le Rappel à l'ordre* en 1926. Le décapant des légendes, malentendus et commérages qui empêchent de le voir, Cocteau dégage ici le portrait incisif de son ami et de son maître, portrait animé, fait de gestes significatifs, de mots acérés qui sont autant de laconiques enseignements.

Le Grand Écart.

Publié en octobre 1923, quelques jours avant *Thomas l'imposteur* et quelques semaines avant la mort de Radiguet, *Le Grand Écart* fut écrit auprès de ce dernier qui composait alors *Le Diable au corps*. Dans *Autour de Thomas l'imposteur*, article publié dans *Les Nouvelles littéraires* aussitôt après cette double publication (et repris dans *Le Rappel à l'ordre*), Cocteau souligne que *Le Grand Écart* est un roman, alors que *Thomas l'imposteur* est une histoire, un « texte sans psychologie », et il ajoute

que *Le Grand Écart*, où tout le monde s'accorde à voir
une autobiographie, n'est pas plus autobiographique que
Thomas, ce qui laisse entendre simplement que celui-ci
l'est beaucoup plus qu'on ne le croit.

Le personnage de Jacques Forestier est si exactement
Jean Cocteau à dix-sept dix-huit ans, les autres personnages du roman sont si aisément identifiables qu'il
ne peut y avoir le moindre doute. D'autre part, il existe,
comme on l'a souligné, une grande analogie entre *Le
Diable au corps* et *Le Grand Écart* ; dans l'un et l'autre cas,
il s'agit de l'éducation sentimentale d'un adolescent,
comme si Cocteau avait voulu raconter parallèlement
à l'aventure de Radiguet celle qu'il vécut à peu près au
même âge. Les différences entre les deux sont en elles-
mêmes significatives. Premier roman de Cocteau, *Le
Grand Écart* reste une réussite exemplaire et, dans son
genre, unique. Il conjugue en effet une forme toute
classique dans sa sobriété et, en de surprenants raccour-
cis, les plus magnifiques audaces psychologiques. Mais ce
qu'il faut louer par-dessus tout, c'est sans doute sa
prodigieuse efficacité, quel lecteur du *Grand Écart* n'en
a-t-il pas été bouleversé ?

Thomas l'imposteur.

Publié en 1923, quelques jours après la sortie du
Grand Écart dont il se veut aussi différent que possible,
Thomas l'imposteur ne connut pas tout d'abord le succès
de ce dernier. Dans ce récit bref et rapide, Cocteau
raconte, à sa manière, une histoire vraie, celle d'un jeune
soldat qui s'est fait passer pendant la guerre pour le
neveu du général de Castelnau, mais il lui prête ses
propres souvenirs d'ambulancier volontaire. C'est moins
un portrait de la guerre que celui de l'arrière, celui d'une
certaine société que la guerre tirait de son oisiveté, de
son ennui et qui y jouait. Thomas, imposteur par amu-
sement, par plaisir, par nature, bientôt prisonnier du

personnage qu'il s'est créé, et en somme poète sans le savoir, est donc un peu Cocteau lui-même. C'était là donner des armes contre lui, il en pâtit par la suite. Sans doute Cocteau voulait-il apporter ici un contrepoids à l'héroïsme de commande qui se manifestait alors par tant d'œuvres pesantes. Tout ceci fait qu'on ne sent pas dans *Thomas* cette absolue nécessité intérieure qui fait la saisissante grandeur du *Grand Écart* ou des *Enfants terribles*.

Poésie (1916-1923).

Publié en 1924, ce recueil rassemble à la N. R. F. des œuvres dispersées jusqu'alors chez d'autres éditeurs : *Le Cap de Bonne-Espérance* (1919) ; *Ode à Picasso* (1919) ; *Poésies 1917-1920* (1920) ; *Vocabulaire* (1922) ; *Plain-Chant* (1923). Il constitue l'édition originale du *Discours du grand sommeil*, écrit en 1916-1918.

L'Ange Heurtebise.

Publié en plaquette en 1925, repris dans *Opéra* en 1927. Hautain et magnifique, prodigieusement communicable et néanmoins énigmatique, *L'Ange Heurtebise* n'a pas fini d'attirer les exégètes et de les décourager. Tout évidents que soient les éléments autobiographiques : mort de Radiguet, dont le poème reflète l'ultime métamorphose par-delà la mort, apothéose qui suit le deuil, apparition de nouvelles incarnations de l'Ange, le poème ne leur est d'aucune façon réductible. Le seul commentaire explicatif possible ne pourrait venir que de l'auteur lui-même. Jean Cocteau a tenté d'en préciser au moins la genèse dans *De la naissance d'un poème* (*Journal d'un inconnu*). Il considérait lui-même que c'était « le seul poème où la chance ne l'ait pas quitté jusqu'au bout ». C'est qu'ici il exprime et n'exprime que l'inexprimable, nul mélange, la pureté absolue et incompréhensible d'un phénomène naturel, ce qui n'empêche pas *L'Ange Heurtebise* d'être en plus l'un des plus beaux poèmes de la langue française.

Orphée (Tragédie en un acte et un intervalle).

Terminé à Villefranche le 24 septembre 1925, et dédié à Georges Pitoëff, *Orphée* fut joué pour la première fois par Georges et Ludmilla Pitoëff le 15 juin 1926 au théâtre des Arts. Œuvre clef de la mythologie la plus personnelle du poète, et dont procéderont les films *Orphée* (1949) et *Le Testament d'Orphée* (1959). Envoûté par un cheval mystérieux qui lui communique en tapant du pied des messages que le poète estime venus de l'au-delà, dont une phrase incompréhensible : « Mme Eurydice reviendra des Enfers » (en initiales : Merde), Orphée néglige sa femme et se dispute avec elle. Eurydice renoue avec d'anciennes amitiés suspectes, les Bacchantes et leur chef Aglaonice. Celle-ci parvient par ruse à l'empoisonner. Mais l'Ange Heurtebise, sous la forme d'un vitrier, veille sur le couple. Il donne à Orphée le moyen d'aller rejoindre Eurydice aux Enfers. Orphée l'en ramène, mais sous condition de ne pas la regarder. Il ne peut tenir promesse et Eurydice disparaît à tout jamais. C'est alors que les Bacchantes tuent Orphée qui va ainsi retrouver Eurydice. La police arrive sur les lieux, mais l'Ange Heurtebise lui échappe pour rejoindre à son tour le couple dans un autre monde, qui se révèle être le même, à peine modifié, que celui où ils vivaient. L'apparition de la Mort personnifiée qu'on voit accomplir sa besogne chirurgicale, le cheval qui parle, le miroir qu'on traverse, Heurtebise qui reste en l'air quand Orphée retire de sous ses pieds la chaise sur laquelle il était monté, sont ici autant de moyens employés par Cocteau pour réaliser son dessein : montrer sur la scène l'envers des choses et de la vie, l'invisible.

Lettre à Jacques Maritain.

Datée d'octobre 1925, et donc contemporaine de la composition d'*Orphée*, elle fut publiée au début de 1926 en même temps que la *Réponse à Jean Cocteau* de Maritain. Six mois après la mort de Radiguet, Cocteau qui, par désespoir, s'adonnait à l'opium, rencontre les Maritain et avec eux retrouve la sécurité d'une famille. Jacques Maritain obtient de lui qu'il se fasse désintoxiquer. Un an plus tard, Cocteau éprouve le besoin de faire le point, afin de dissiper les malentendus. On ne peut tout d'abord parler, ainsi qu'on l'a fait, de conversion : « Il me fallait chercher ma route en l'air. Cette corde raide mène au catholicisme, c'est-à-dire chez moi. » Et Cocteau prétend faire endosser au catholicisme sa propre théorie de l'art et de la poésie d'origine divine, analogues à la grâce et proches de la contemplation mystique, « l'art pour Dieu ». C'est là dans sa pensée élargir la religion, lui redonner un élan, attirer à elle les âmes de ceux qu'il aime.

La *Réponse* de Maritain ne pouvait être qu'un refus attristé. Ce « joli monstre » dont le poète veut faire cadeau à Dieu lui est suspect. Il s'éloigne.

On trouve déjà ici la manœuvre grâce à laquelle, adhérant à une institution, Cocteau tente d'y introduire des « marchandises interdites », et qu'il renouvellera, trente ans plus tard, lors de son entrée à l'Académie française.

Le Rappel à l'ordre.

Précédé d'une préface de 1923 où Cocteau en quelques mots trace la ligne de son destin, ce recueil contient les textes suivants qu'on trouvera analysés à leur date : *Le Coq et l'Arlequin* (1918) ; *Carte blanche* (1920) ; *Visites à Maurice Barrès* (1921) ; *Le Secret professionnel* (1922) ; *D'un ordre considéré comme une anarchie* (1923) ; *Autour*

de Thomas l'imposteur (1923) (v. *Le Grand Écart*) ;
Picasso (1923).

Opéra (Œuvres poétiques 1925-1927).

Publié en 1927, réédité avec huit dessins de l'auteur
en 1959, l'ouvrage se compose en fait de deux recueils :
Opéra proprement dit, qui contient deux poèmes parus
antérieurement, tous deux en 1925, *Prière mutilée*,
daté de 1921, et *L'Ange Heurtebise*, et *Musée secret* dont
sont isolés les derniers poèmes sous le titre : *Trousse
contenant 12 poésies de voyage*. Aucun recueil de Cocteau
ne renferme, sous des formes très diverses et dans un
apparent désordre, pareille charge électrique : messages
transcrits tels quels, à l'état brut, jeux de mots dont le
choc peut seul faire jaillir l'étincelle. L'apparente gratuité, la très visible habileté sont ici au service de l'obéissance la plus stricte, le poète n'étant qu'un instrument
d'une extrême précision qui n'a pour mission que de
transmettre ce qui lui est dicté. L'apport personnel du
poète réside somme toute dans une découverte technique : comment utiliser le langage pour lui faire exprimer
l'indicible. La méthode d'*Opéra* s'oppose donc radicale-
ment, au moins en apparence, à celle de *Plain-Chant*,
où le lecteur possède des guides sûrs : classicisme de la
forme, expression de sentiments en qui il peut reconnaître les siens, — et *Prière mutilée*, en vers réguliers,
sert de transition entre ces deux pôles opposés —, tandis
qu'ici tout est déconcertant, dépaysant, c'est qu'il
s'agit en effet du seuil d'un autre monde qu'il arrive
parfois au poète de franchir.

Le Mystère laïc.

Publié en 1928, cet essai de *Poésie critique* fut écrit
en 1926 afin de défendre le peintre G. de Chirico contre

les attaques des surréalistes qui venaient de le renier. Son titre fait allusion à la rupture avec Maritain. Méditation sur l'œuvre fantomale de Chirico, *Le Mystère laïc* est surtout un art poétique et constitue une nouvelle étape — entre *Le Secret professionnel* (1922) et *Des Beaux-Arts considérés comme un assassinat* (v. *Essai de critique indirecte*) (1932), dans l'élaboration de l'esthétique éthique du poète. C'est ainsi qu'on y trouve de précieuses définitions : « La poésie, c'est l'exactitude », « La poésie imite une réalité dont notre monde ne possède que l'intuition ». Elle est donc exigence et rigueur, source pour le poète de souffrances et d'angoisse, mais au bénéfice de qui ? puisque « la France déteste la poésie ».

Les Enfants terribles.

Publié en 1929, ce roman fut écrit, selon l'auteur, en dix-sept jours à la clinique de Saint-Cloud, où il subissait une cure de désintoxication (v. *Opium*). Cocteau a conjoint ici un souvenir de jeunesse : celui de la Cité Monthiers, qui reparaîtra dans son film de 1930, *Le Sang d'un poète*, celui de l'éblouissement qu'il ressentit devant l'un de ses camarades, éblouissement traduit dans le roman comme dans le film par la boule de neige que lance Dargelos, et l'existence d'un couple fraternel qu'il fréquenta quelques années avant d'écrire son roman.

Frappé par la boule de neige fatale, Paul rentre dans la chambre où Élisabeth, sa sœur, le soignera et ne le quittera plus. Milieu fermé, chambre magique où chaque jour s'accomplit une mystérieuse liturgie d'amour et de haine, à laquelle assiste, médusé et séduit, Gérard qui aime Paul, puis Élisabeth. Et plus tard, Agathe, sosie féminin de Dargelos. Court intermède : Élisabeth épouse un jeune homme riche qui meurt aussitôt et la laisse vierge. Et la chambre se reconstitue. Mais Paul s'aperçoit qu'il aime Agathe. Agathe l'aime mais commet l'imprudence de se confier à Élisabeth. Celle-ci empêche les deux amants de se rejoindre et marie Agathe à Gérard. Paul, désespéré, absorbe le poison que, par l'entremise de Gérard, Dargelos lui a fait parvenir, Élisabeth dévoilée se tue.

Ce livre a fasciné toute une génération d'adolescents qui s'y est reconnue, et son pouvoir sera sans doute durable, car la fascination qu'il émet procède du plus intime, du plus secret de la sensibilité du poète.

Opium. Journal d'une désintoxication.

Publié en 1930 avec de nombreux dessins de l'auteur et dédié à Jean Desbordes qui « possède au naturel cette *légèreté profonde* que l'opium imite un peu », *Opium* fut écrit à la clinique de Saint-Cloud du 16 décembre 1928 à avril 1929, durant une cure de désintoxication, des notes datées d'avril 1930 ont été ajoutées sur épreuves. Réédité en 1957 avec un remarquable « Avant-propos » de Léon Pierre-Quint.

Journal d'une renaissance infiniment douloureuse, puisqu'elle est aussi une amputation, le supplice qu'elle constitue s'exprime ici surtout par les admirables dessins qui forment contrepoint avec l'écriture, d'une renaissance forcée et sans la foi : « Je ne suis pas un désintoxiqué fier de son effort. J'ai honte d'être chassé de ce monde auprès duquel la santé ressemble aux films ignobles où des ministres inaugurent une statue », et l'opium présente trop d'analogie avec la poésie (la *vitesse*) pour que le poète puisse s'en détacher tout à fait, *Opium* est aussi le journal d'une halte, où Cocteau, isolé, condamné à l'oisiveté, examine avec le recul voulu son expérience passée — ses œuvres, ses admirations, ses amitiés-passions —, et envisage d'un œil neuf son avenir, déjà présent, puisque c'est à la clinique de Saint-Cloud qu'il écrit en dix-sept jours *Les Enfants terribles*, ou qui de loin se dessine : « Je rêve qu'il me soit donné d'écrire un Œdipe et le Sphinx, une sorte de prologue tragi-

comique à *Œdipe roi*, précédé lui-même d'une grosse
farce avec des soldats, un spectre, le régisseur, une spec-
tatrice », cet Œdipe qui sera, cinq ans plus tard, *La
Machine infernale*.

Exposant au début du livre la conception d'*Opium*,
Cocteau écrit : « Les dessins... seraient des cris de souffrance au ralenti, et les notes, les étapes du passage d'un
état considéré comme anormal à un état considéré
comme normal. » D'où il résulte qu'*Opium* est non seulement *Le Potomak* — livre né d'un album de dessins —
de la maturité, mais un *Potomak* à l'envers, puisque ce
dont il était question dans *Le Potomak*, c'était le passage
d'un état considéré comme normal à un état considéré
comme anormal. Et que *Le Potomak*, *Opium*, et le *Journal d'un inconnu* jalonnent l'évolution de Cocteau comme
un archipel d'îles volcaniques sorties l'une après l'autre
des abysses marins.

La Voix humaine.

Pièce en un acte et à un seul acteur, représentée pour
la première fois à la Comédie-Française le 17 février
1930, où elle fut créée par Berthe Bovy. Publiée la même
année. Une femme seule a avec son amant qui vient de
la quitter pour se marier un dernier entretien téléphonique. Elle souffre, elle ment, par amour, pour le rassu-
rer ; lui, de son côté — et il n'existe que dans les silences
et par les réponses de la femme à ce qu'il dit —, ment
pour ne pas ajouter à sa peine, jusqu'à ce que la communication, maintes fois interrompue et reprise, soit définitivement coupée.

Ce n'est pas là seulement une extraordinaire prouesse
technique qui stupéfie et introduit sur la scène une
nouvelle et vertigineuse dimension : celle du vide, du
silence, mais un des textes les plus bouleversants, les
plus directs — jusque dans les fautes de français du
langage parlé — de Cocteau. *La Voix humaine* connut

un immense succès et fut la pièce la plus jouée de Cocteau, et dans toutes les langues. Roberto Rossellini en fit un film avec Anna Magnani (1947), Francis Poulenc un opéra (1959).

Essai de critique indirecte.

Publié en 1932, avec une introduction de Bernard Grasset et un frontispice de G. de Chirico, ce livre contient d'une part la réédition du *Mystère laïc* de 1928, d'autre part un inédit de même importance : *Des Beaux-Arts considérés comme un assassinat,* qui en constitue le prolongement et fut écrit en 1930, peu après le tournage du premier film de Cocteau *Le Sang d'un poète,* auquel il est fait à plusieurs reprises allusion.

Dans *Des Beaux-Arts,* il est encore question de Chirico, mais aussi de Picasso — et Cocteau tente de les définir l'un par l'autre —, de Dali et de Bérard. L'art poétique — valable pour toutes les formes d'art —, amorcé dans *Le Mystère laïc* s'y complète et s'y durcit : le créateur décore les murs de sa prison et parfois y perce un trou vers le dehors, « toute œuvre qui n'est pas véhicule volontaire ou involontaire d'aveux est du luxe. Or le luxe est pire qu'immoral, il ennuie ». Et Cocteau montre sur des exemples précis tirés de l'expérience de ses amis et de la sienne propre que de toute œuvre vraiment nouvelle le public ne peut que se détourner, puisqu'il n'est capable que de reconnaître, et il insiste sur le caractère inquiétant, effrayant de l'art véritable.

Œuvre exemplaire de critique, puisqu'il s'agit ici de saisir les œuvres dans leur genèse la plus intime, la plus secrète, art poétique, au sens le plus large, l'*Essai de critique indirecte* est aussi un Journal, à la façon dont Cocteau le conçoit : suite de réflexions, de méditations — et ici particulièrement précieux sont ses propos sur ses rêves, sur le rêve en général — se condensant parfois en un éclair verbal qui illumine brusquement tout un paysage nocturne. A ce titre l'*Essai* trouve sa place entre *Opium* et le *Journal d'un inconnu* dont certains passages annoncent déjà l'esprit.

Morceaux choisis. Poèmes.

Ce recueil, publié en 1932, regroupe de larges extraits des œuvres suivantes : *Le Cap de Bonne-Espérance* (1916-1919) ; *Discours du grand sommeil* (1916-1918) ; *Poésies* (1920) ; *Ode à Picasso* (1919) ; *Vocabulaire* (1922) ; *Plain-Chant* (1923) ; *Opéra* (1925-1927). Il inaugure ainsi ces anthologies personnelles, que Cocteau rassemblera périodiquement, et où figureront les poèmes qui furent « en quelque sorte le centre des recueils où, d'époque en époque, ils prirent place. »

La Machine infernale.

Pièce en quatre actes, représentée pour la première fois à la Comédie des Champs-Élysées (théâtre Louis-Jouvet) le 10 avril 1934 avec les décors et les costumes de Christian Bérard. Publiée la même année. Jean Cocteau, après avoir donné en 1925 une « adaptation libre » de l'*Œdipe roi* de Sophocle et le livret d'*Œdipus rex*, apporte sa version personnelle du mythe. Quatre actes, quatre moments de son accomplissement : *Le Fantôme*, où Laïus mort se manifeste à un jeune soldat et indirectement met en garde Jocaste sur ce qui va se passer : Œdipe qui vient de le tuer approche de Thèbes ; *La Rencontre d'Œdipe et du Sphinx*, où Œdipe ne vainc celui-ci que par son aide et grâce au dégoût qu'il éprouve pour le rôle de tueur que les dieux l'obligent à jouer ; *La Nuit de noces*, où, au milieu de pressentiments de toutes sortes, s'accomplit l'inceste ; enfin *Œdipe roi* qui se déroule dix-sept ans après l'achèvement sanglant de la tragédie demeurée jusque-là latente. Ici Cocteau rejoint

Sophocle, tout en réinterprétant certaines données du mythe, en lui donnant de nouveaux échos : Jocaste morte guide Œdipe aveuglé, et se confond avec leur fille Antigone. Antigone est donc Jocaste réincarnée : seule la mère peut guider le fils dans ce monde où par sa cécité il vient d'entrer.

Il ne s'agit nullement ici d'une nouvelle adaptation d'*Œdipe roi*, mais de dire ce que Sophocle a passé sous silence, de retrouver au xxᵉ siècle le mythe naissant, de le réhumaniser, de le réincarner, en le revivant au plus intime de soi-même. C'est pourquoi cette résurrection n'a rien à voir avec les modernisations qu'elle mit à la mode.

Portraits-Souvenirs.

Publié en 1935 et dédié à Marcel Khill, ce livre recueille les seize articles publiés du 19 janvier au 11 mai 1935 dans les pages littéraires du *Figaro* du samedi, où Cocteau avait accepté d'évoquer en même temps que sa jeunesse, la vie littéraire et artistique de l'avant-guerre. Ce ne sont donc nullement des mémoires, qu'il lui semble d'ailleurs impossible d'écrire, mais de brusques coups de projecteur sur des figures qui apparaissent en pied dans toute leur truculence et leur originalité : Catulle Mendès et de Max, Anna de Noailles et Sarah Bernhardt, Léon Daudet et Mistinguett. Parfois à cette évocation du passé se mêle le présent : l'hôtel Welcome à Villefranche, où il écrit ces articles, Christian Bérard, les Bourdet. Bien qu'il ne s'agisse ici que d'images sans suite, on peut y trouver un fil conducteur : les étapes de la formation du jeune Cocteau, le reflet sur lui de ceux qui l'initièrent à la vie des arts, son amour du théâtre, du cirque et du music-hall. Un des attraits majeurs du livre, les très beaux dessins d'une facture vive et spontanée où Cocteau campe d'étonnantes silhouettes.

Mon premier Voyage (Tour du monde en 80 jours).

Publié en 1936 et dédié à André Gide, c'est le récit au jour le jour du voyage entrepris du 29 mars au 17 juin 1936, en accord avec Jean Prouvost, directeur de *Paris-Soir*, afin de démontrer que la fiction de Jules Verne, « réalité avant la lettre », était seulement alors — et « en s'interdisant le vol » — devenue réalisable. En compagnie de Marcel Khill dans le rôle de Passepartout, Jean Cocteau — Philéas Fogg — flaire l'atmosphère de Rome, du Caire, de Bombay, de Rangoon, de Tokyo et de Hollywood, évite les corvées officielles, visite les quartiers interdits et rapporte des images aussi peu conventionnelles que possible, violemment contrastées et qui se heurtent, dessinant le visage sillonné de « vieilles cicatrices » de la Terre. Ce récit fut publié d'abord dans *Paris-Soir* du 1er août au 3 septembre 1936.

Les Chevaliers de la Table Ronde.

Pièce en trois actes, créée le 14 octobre 1937 au théâtre de l'Œuvre, publiée la même année et dédiée à Igor Markévitch. Commencée dès 1934 : « En 1934, j'étais malade. Je m'éveillai un matin, déshabitué de dormir, et j'assistai d'un bout à l'autre à ce drame dont l'intrigue, l'époque et les personnages m'étaient aussi peu familiers que possible. Ajouterai-je que je les tenais pour rébarbatifs. » La pièce ne fut reprise et achevée que trois ans plus tard sur les instances de Markévitch. Elle déconcertait Cocteau lui-même qui, dans sa préface, déclare encore : « Je tiens beaucoup à ce que mes lecteurs attentifs sachent combien je reste extérieur à cet ouvrage », elle déconcerta les spectateurs de 1937 qui firent un triomphe à Jean Marais (Galaad) dont c'était le premier grand rôle.

Sur le château du roi Artus, et sur ses habitants plane
un pénible enchantement. S'agit-il de la présence du
Graal, ou des défaillances de chacun : la reine est devenue
la maîtresse de Lancelot ? Il se révèle que Merlin en est
le responsable, assisté de son domestique, le démon
Ginifer, à qui il fait prendre l'aspect qui lui convient.
Au Ier acte, Ginifer remplit le rôle de Gauvain, le neveu
bien-aimé d'Artus, et l'envoûte. Survient Galaad, le
chevalier à la blanche armure, le très pur, le très clair-
voyant qui parviendra seul à combattre le mal. Mais
non sans peine, car Merlin, fort de ses pouvoirs, brouille
les pistes et, substituant de faux personnages incarnés
par Ginifer aux vrais, provoque les plus tragiques
malentendus. Le vrai Gauvain sera délivré, mais Artus
tuera Lancelot lequel entraînera dans sa mort la reine
Guenièvre. La vérité règne enfin, mais elle est « dure à
vivre ». Cependant les chevaliers contemplent le Graal
devenu visible, sauf Galaad, qui peut le montrer mais
non le voir, et qui s'éloigne, sa mission accomplie.

Les Parents terribles.

Pièce en trois actes, représentée pour la première fois
le 14 novembre 1938 au théâtre des Ambassadeurs,
publiée la même année et dédiée à Yvonne de Bray.
Écrite en huit jours à Montargis, elle procède tout d'abord
du désir de faire jouer ensemble l'extraordinaire Yvonne
de Bray et Jean Marais. Cocteau expose dans une des
deux préfaces son dessein : « J'ai voulu essayer ici un
drame qui soit une comédie et dont le centre même serait
un nœud de vaudeville, si la marche des scènes et le
mécanisme précaire des personnages n'étaient dramatiques. » Et en effet la pièce tire toute sa force de la
singularité et de la vie intense des protagonistes : rêveurs
qui jouent en vase clos et avec la plus grande sincérité
la comédie, équilibre instable entre eux qu'un rien fait
vaciller. Vivent ensemble dans la « roulotte » Georges,

inventeur fantaisiste, Yvonne, sa femme, qui ne s'occupe que de leur fils, Michel, qu'elle idolâtre, et Léo,
la sœur d'Yvonne, ex-fiancée de Georges, qu'elle aime
encore, femme d'ordre qui rétablit impitoyablement,
mais généreusement, l'équilibre toujours prêt à se rompre. Une bouffée d'air extérieur suffit à le compromettre
à tout jamais. Michel, vingt-deux ans, a trahi la « roulotte », il a découché. Il aime Madeleine. Madeleine a eu
pour amant un « vieux » avec qui elle doit rompre. Le
malheur veut que ce protecteur pour qui elle conserve
de la tendresse soit justement Georges. Pour des raisons
très différentes, Yvonne, Léo et Georges veulent provoquer la rupture. Georges n'aura qu'à menacer de tout
révéler à Michel pour que Madeleine se voit obligée de
s'accuser de ce qu'elle n'a pas commis. Mais le désespoir
de Michel, ainsi récupéré, n'arrange personne. Et Léo,
prenant le parti des amants, les réconcilie et fait entrer
Madeleine dans la roulotte. Mais Yvonne, se sentant
inutile, absorbe un barbiturique et, avant qu'on ait pu
la secourir, meurt.

Feignant de rester extérieur à l'action, prétendant
n'apporter ici qu'un « prétexte à de grands comédiens »,
afin de lutter contre les tendances contemporaines du
« texte prétexte » et de la mise en scène « encombrante et
excentrique », Cocteau, comme dans *La Machine infernale*, comme, sur un autre plan, dans *Les Enfants terribles*, nous livre, voilé, son plus intime secret, d'où une
force et une qualité d'émotion qui sont sans doute à
l'origine de l'immense succès de la pièce depuis sa
création.

Jean-Jacques Rousseau.

Ce texte important fut publié en 1939 dans l'ouvrage
collectif *Tableau de la Littérature Française, XVIIe et
XVIIIe siècles*, auquel il était destiné, et republié dans
Poésie Critique I en 1959. « Étude improvisée et dictée »,

annonce l'auteur et l'on comprend très vite pourquoi.
Jean Cocteau a étudié le « dossier » de Rousseau, persé-
cuté imaginaire ou réel, il se l'est assimilé, et il plaide.
Répondant aux accusations des adversaires de Rousseau, Diderot et Grimm, il dénonce une à une leurs
hypocrites intrigues, la complicité stupide et intéressée
de la mère Lemercier et de Thérèse, les menées tor-
tueuses des mondains qui dans cette chasse à l'homme
ne voyaient qu'une occasion de se distraire, de s'amuser.
Rousseau n'est coupable que de maladresse, de confiante
naïveté, et de s'être mal défendu jusqu'à donner des
points à l'adversaire. La persécution qu'il a subie, n'est
que trop réelle, Cocteau lui-même connaît bien ce genre
d'ennemis et leurs manœuvres.

Mais, dans un « Post-scriptum » de 1956, Cocteau aca-
démicien revient sur le personnage de Voltaire qu'il
avait noirci dans son étude de 1939 et à qui maintenant
il ressemble, tout au moins physiquement. Il y a donc
en lui un Voltaire et un Rousseau, et qui ne s'entendent
guère.

La Fin du Potomak.

Publiée en 1940. Commencée en mars 1939 au Piquey,
où il avait emmené Jean Marais malade. Là Jean Cocteau retrouve l'ombre de Raymond Radiguet qui,
dix-huit ans plus tôt, y écrivait *Le Diable au corps*,
tandis que lui-même composait *Le Secret professionnel*.
Dès lors, la nécessité s'impose à lui de laisser de côté la
pièce qu'il vient de commencer, *La Machine à écrire*, car
quelque chose l'obstruait. Et ce quelque chose s'échappe.
Et ce quelque chose est ce livre! Au milieu des bruits de
guerre qui se rapprochent, Jean Cocteau retrouve son
état d'âme de 1913, alors qu'il écrivait *Le Potomak*, il
« boucle la boucle ». Avec un humour qui va jusqu'à la
satire, il se débarrasse de ce qui l'encombre, le souvenir
de certains personnages qui ont joué dans sa vie un rôle

néfaste ou décevant : la princesse Fafner (Natalie Paley), la vicomtesse Méduse (Marie-Laure de Noailles), représentants d'un monde que la guerre va balayer et qui ne s'incarne plus désormais qu'en de ridicules caricatures : le chanteur Oscar Célestin, idole nationale, ou Amère Suzon, vieille vedette, « cousue dans la peau d'une petite fille prodige ». Qu'est devenu dans tout ce beau monde le Potomak ? Des messages mystérieux mettent l' « Oiseleur » sur sa piste. Et il le retrouve, au milieu des ruines de la ville, invisible et aveugle, avant d'assister à sa décomposition. Mais qu'est le Potomak ? Telle est la question que se pose inévitablement le lecteur. Jean Cocteau n'y répond que partiellement : « De ce Potomak et de ses malaises, une œuvre était née. Des lignes, des lignes, des lignes. » Ne s'agit-il pas de l'inconscient du poète, d'où émanent ces « ondes », ces messages qu'il transcrit ? Qu'il soit oublié, qu'il meure signifierait que Cocteau ne reçoit plus désormais rien de lui. Et effectivement, depuis *Opéra* (1927), il a abandonné la poésie, ou a été abandonné par elle. Mais ce livre « écrit dans une sorte d'hypnose et au bord du vide » échappe à l'analyse. Contentons-nous d'y relever que, par rapport au *Potomak* de 1913, les structures demeurent identiques, si, par contre, les personnages ont changé, puisque Persicaire s'identifie en partie à Radiguet, lequel est aussi cet « enfant mort » dont le poète retrouve vivant le souvenir et qui meurt ici pour la seconde fois.

Les Monstres sacrés.

« Portrait d'une pièce en trois actes », représenté pour la première fois au théâtre Michel, le 17 février 1940, dans des décors de Christian Bérard, et dédié à Jean Marais, parti pour la guerre, « avant qu'il revienne pour créer *La Machine à écrire* ». Écrite pour Yvonne de Bray, à l'instigation de Marais, c'est le portrait hors scène d'une prima donna — tel était le titre originel de la pièce —, « le but à atteindre étant de sortir le public d'une hypnose de guerre... ». Il convient donc de prendre la pièce pour ce qu'elle veut être : un divertissement, et aussi la performance d'une actrice. A l'issue d'une représentation dans son théâtre, Esther, prima donna vieillissante — elle va être grand-mère — reçoit dans sa loge une jeune comédienne, Liane, qui joue avec le mari d'Esther, Florent. Liane annonce à Esther que Florent est amoureux d'elle et qu'il a l'intention de quitter sa femme. Liane est une mythomane. Mais Esther, à peine remise de ce coup, n'en décide pas moins, afin d'éprouver l'amour de son mari, de faire en sorte que les mensonges de la jeune actrice deviennent vrais : les trois comédiens vivront désormais ensemble, et Liane sera la maîtresse de Florent avec l'approbation d'Esther, jusqu'au jour où tout rentrera dans l'ordre. Cette intrigue est évidemment surtout un prétexte à montrer aux spectateurs l'envers du décor, ce que deviennent ces « idoles », lorsqu'elles ont quitté la scène et que, dans leur vie privée, à leur insu elles jouent encore.

La Machine à écrire.

Pièce en trois actes, créée au théâtre Hébertot le 29 avril 1941, dans des décors de Jean Marais. Écrite pour cet acteur, elle se fonde sur un fait divers, les lettres anonymes de Tulle, qui inspirera aussi le film de Clouzot, *Le Corbeau*. L'idée première de la pièce est d'un auteur du « Boulevard », Albert Willemetz, lequel, selon Cocteau lui-même qui l'en remercie dans sa préface, lui procura aussi le moyen d'en « dénouer le dernier nœud ». De plus, Cocteau qui a peiné beaucoup sur cette pièce, a reçu de tous côtés avis et conseils, qu'il se repentira ensuite d'avoir suivis. Il en est résulté une œuvre incontestablement bâtarde, car l'auteur a tenté malgré tout d'introduire, dans une intrigue qui lui était étrangère, ses propres mythes. Jean Cocteau considérait lui-même *La Machine à écrire* comme une pièce ratée et s'en voulait de l'avoir écrite, puisqu'elle ne procédait pas d'une nécessité intérieure.

Une ville de province est bouleversée par la circulation de lettres anonymes qui dévoilent les hypocrisies des notables, leurs fautes secrètes. Fred, l'inspecteur chargé de l'enquête, est descendu incognito chez son vieux camarade Didier, père des jumeaux Pascal et Maxime, dont l'un, qui a eu maille à partir avec la police militaire, a disparu, chassé par son père. Vit dans la même maison, Margot, fille adoptive de la femme de Didier, laquelle est morte. Mais la famille apprend que Maxime de retour est caché par Solange, la châtelaine, autrefois fiancée à Didier, et qui devient la maîtresse de Maxime. Margot rencontre en secret Maxime, et se dénonce faussement comme l'auteur des lettres anonymes. Les soupçons se portent tantôt sur l'un, tantôt sur l'autre, jusqu'au jour où la vérité, surprenante pour tous, éclate : la coupable est la châtelaine qui se suicide.

Allégories.

Publié en 1941, ce recueil marque, après plus de dix années consacrées au théâtre et au journalisme, le retour de Jean Cocteau à la poésie, ou plutôt il apparaît dans le déroulement chronologique, comme le dépôt d'un bilan, précédant le véritable réveil poétique qui ne se manifestera qu'avec *Léone* (1945). On dirait qu'à la veille d'entreprendre en 1942 ce poème, ainsi que *Renaud et Armide*, le poète veuille faire place nette. Enfin, comme d'autres œuvres de Cocteau, celle-ci naît d'une cure de désintoxication, la dernière, en 1940. Aussi *Allégories* a-t-il un aspect largement récapitulatif ; non seulement parce qu'y figurent des poèmes déjà anciens, tels *Cherchez Apollon* (1931-1932) dédié :

« A Natalie » (Paley), mais aussi dans certains poèmes
actuels : *Clinique* (1940). Cependant les aspects les plus
intéressants sont ceux qui annoncent l'avenir, comme
le long poème *L'Incendie*, dédié à Jean Marais, et écrit
en septembre 1938, où se trouve décrite d'avance la
déflagration qui va embraser l'Europe, et qui se mêle
ici aux angoisses du poète, sorte de liquidation poétique
du passé et à ce titre voisin de *La Fin du Potomak*,
écrite un an plus tard. Et surtout ceux où se dessine
une évolution plus lointaine, ainsi en est-il, entre autres,
du *Portrait en pied de Louis II de Bavière*, où se super-
pose à l'image du roi celle de sa cousine, l'impératrice
d'Autriche, qui deviendra quelques années plus tard le
modèle de la reine de *L'Aigle à deux têtes*.

Le Mythe du Greco.

Ce texte bref, mais extraordinairement frappant, parut
en préface d'un album de reproductions d'œuvres du
Greco en 1943. Il est presque entièrement fondé sur
l'examen minutieux, la contemplation assidue d'une
toile appartenant à José-Maria Sert, *Le Martyre de
saint Maurice*, scène dont il existe une autre version,
beaucoup moins violente, beaucoup moins tourmentée,
conservée au Prado. Comme il s'agit là d'une commande
royale, Cocteau formule l'hypothèse que la première
version déconcerta et que, sur les conseils de Pompeo
Leoni, sculpteur et pourvoyeur du roi, et aussi protecteur du Greco, celui-ci recommença la toile. La première
doit donc nous permettre d'approcher du secret de Greco.
Comme à son habitude, Cocteau le cherche dans certains détails où selon lui l'artiste en secret se dénonce.
Quelque discutable que soit cette thèse, elle suscite des
pages admirables sur cette sublimation si particulière au
Crétois qui lui fait utiliser une sensualité ardente à des
fins mystiques, et, par exemple, déplacer sa « sensibilité
érotique » sur le tracé et le coloris des nuages. Cocteau,

en somme, esquisse ici, avec des moyens tout personnels, une sorte de psychanalyse du Greco, mais aussi montre, sur des exemples précis, la sublimation à l'œuvre dans l'art et la poésie.

Renaud et Armide.

Tragédie en trois actes et en vers, représentée pour la première fois à la Comédie-Française le 28 avril 1943 avec des décors et des costumes de Christian Bérard.

Renaud, roi de France, se trouve prisonnier dans les jardins de l'enchanteresse Armide, qui l'a envoûté et qui se cache. Il aime cette femme invisible. Aussi, lorsqu'au IIe acte, elle lui apparaît, se refuse-t-il à reconnaître en elle celle qu'il aime. En proie à la fureur, Armide le fait prisonnier de ses enchantements. Mais Renaud n'est plus alors qu'un dément, toujours amoureux de l'autre Armide. Armide n'a plus, pour le désaveugler, qu'une ressource : lui donner l'anneau qu'elle porte au doigt et qu'il réclame. Ce n'est gagner Renaud que pour le perdre, puisque celui-ci, reconnaissant enfin Armide, exigera un baiser, et que ce baiser doit la tuer. Elle s'y résout enfin, et meurt.

Avec cette œuvre, où l'on reconnaît, transposée, l'histoire de Tristan et Yseult, que, peu après les débuts de *Renaud et Armide* au Français, Cocteau devait présenter au cinéma avec *L'Éternel Retour*, le poète entendait, non du tout imiter la tragédie classique, mais la ressusciter pour son temps, en écrivant un « opéra parlé », où la parole devînt musique. Le côté extérieur de la tragédie est ici réduit au minimum : quatre personnages dont seulement deux protagonistes : les amants. « Un décor, une journée, la tragédie se déroule en quelque sorte d'une traite, et les répliques s'enchaînent d'acte en acte. » Étonnante réussite technique, mais, comme presque toujours chez Cocteau, porteuse d'un message personnel, d'une obsession intime, celle de l'amour impossible, de la non-coïncidence de l'amant et de l'aimée que seule peut résoudre la mort.

Léone.

Publié en 1945, ce long poème en 120 strophes inégales, renoue, après bien des écarts et des infidélités, avec la ligne d'inspiration majeure de Jean Cocteau. Il émane de la même source intermittente, du même gouffre pythique, d'où surgirent, vingt ans plus tôt, *L'Ange Heurtebise* (1925) et *Opéra* (1927), et qui va produire ensuite *La Crucifixion* (1946) et *Le Requiem* (1962), tous poèmes situés à la limite de deux mondes incompatibles, qui se tournent le dos, et ne peuvent presque pas communiquer entre eux.

L'autre monde est ici celui du rêve. Léone est un rêve, comme l'affirme le premier vers du poème : « C'est la nuit du vingt-huit que je rêvai Léone », non un personnage dans le rêve, mais le rêve lui-même, dans sa marche feutrée, immobile, terrifiante que suit attentivement le rêveur, pénétrant derrière Léone — et identifié à elle — dans l'univers nocturne de la ville — sans rapport avec celui du jour —, univers à l'envers qui est, au sein de la vie, comme une enclave de mort — la « zone » que Cocteau montrera au cinéma dans *Orphée* quatre ans plus tard —, univers déconcertant, car tout ce que nous avons appris durant le jour n'y a plus cours, univers immense jusqu'à l'infini, bien que contenu tout entier dans le rêve, dans l'esprit du dormeur, car si Léone, le rêve, est la Muse, que le rêveur suit avec peine, il ne peut la suivre jusqu'au bout, puisqu'elle est aussi et finalement sa mort, son éternité.

Rarement vit-on une telle adéquation entre le rêve par nature intranscriptible et sa traduction. *Léone* par sa force incantatoire retrouve spontanément les formulations, les rythmes les plus archaïques, les plus oubliés, seuls aptes en dernier ressort à rendre présent ce monde obscur qui gît dans l'homme, et où il peut se perdre pour se regagner tout autre.

La Belle et la Bête. Journal d'un film.

Publié en 1946, ce Journal commence avec la première journée de tournage du film *La Belle et la Bête* (26 août 1945) et se clôt le 1er juin 1946, jour de sa présentation en séance privée. Compte rendu fidèle de l'élaboration du film : difficultés vaincues, trouvailles faites au jour le jour, utilisation des hasards et même des échecs apparents, qui donne une idée exacte de la conception si particulière que Cocteau se fait du cinéma, mais aussi journal des problèmes qui l'assaillent dans cette période de crise qui suit immédiatement la guerre et où Cocteau redoute la désaffection d'un public qu'il va précisément regagner grâce au cinéma, sans lui faire d'ailleurs la moindre concession, problème aussi de sa santé défaillante, du martyre que lui cause une grave maladie de peau, état de souffrance et de malaise qui engendra dans le même temps :

La Crucifixion.

Publié en 1946, ce poème, divisé en vingt-cinq strophes, est une des cimes les plus pures non seulement de la poésie de Jean Cocteau, mais de toute la poésie française du xxe siècle. Écrit en 1945-1946, au milieu de souffrances physiques intolérables, c'est le poème de la douleur brutale, cruelle, interminable, où les mots eux-mêmes sont des cris, des clous qui s'enfoncent dans la chair, douleur en sa terrible apothéose, puisque le poète — et tout homme — souffrant revit la scène du Golgotha, non en spectateur mais en victime, tandis que réciproquement la scène s'intériorise en lui, sur le théâtre sensible de ses veines et de ses nerfs. Jamais sans doute dans l'œuvre de Cocteau n'apparaît avec autant d'évidence la lutte du poète contre la voix qu'il porte en lui et qui l'oblige à s'exprimer. Incantatoire, formé de mots qui s'entrechoquent, ce poème constitue aussi une architecture d'une incroyable noblesse.

L'Aigle à deux têtes.

Créé à Bruxelles, Lyon et enfin Paris en octobre-novembre 1946 par Edwige Feuillère et Jean Marais. Le dessein de Cocteau est de faire revivre pour des « monstres sacrés » le drame, le théâtre d'action et de geste par opposition au théâtre de paroles et de mise en scène, cause selon lui de la désaffection du public. Empruntant son sujet aux tragiques mystères des maisons d'Autriche et de Bavière, Cocteau met face à face une reine, veuve, vierge et déjà virtuellement morte et son assassin, un jeune poète anarchiste venu pour la tuer, et qui est pour elle la mort qu'elle attend. Leur destin est donc scellé d'avance. Mais il se trouve que l'assassin est le sosie du roi tant aimé, et il ne veut tuer la reine que parce qu'il l'a de loin depuis toujours aimée. Aussi Stanislas réussit-il à la persuader de revivre, de reprendre sa place sur le trône, de régner enfin. Toutefois les intrigues de la politique les convainquent qu'ils ne pourront préserver leur réciproque amour que par la mort. Leur vrai destin s'accomplit : Stanislas absorbe du poison, la reine l'oblige à la tuer avant que lui-même succombe.

Il convient de ne pas s'y tromper. Ce théâtre apparemment si extérieur, dans les mains de Cocteau ne peut être que mythique, — Cocteau, sans doute par modestie, dit : héraldique —, c'est-à-dire à la fois impersonnel et intime. Et c'est encore ici, presque à son insu, le drame de Jean Cocteau, variante d'*Œdipe* et de *Hamlet*, qui, masqué, reparaît sous cette intrigue pseudo-historique.

La Difficulté d'être.

Publiée en 1947. Commencée au milieu d'un paysage de neige, à Morzine, où Jean Cocteau, épuisé par le tournage de *La Belle et la Bête*, avait enfin consenti à se reposer, poursuivie à Verrières, maison de campagne des Vilmorin, terminée dans la maison de Milly qu'il venait d'acquérir, *La Difficulté d'être* est née, comme *Opium*, d'une de ces pauses où le poète reprend souffle et considère la ligne de son destin. Se reprochant « d'avoir dit trop de choses à dire et pas assez de choses à ne pas dire », Cocteau estime nécessaire de confier ces dernières directement et sur le ton de la conversation à ce lecteur attentif et sans préjugé dont il faut bien supposer qu'il existe. Il y est obligé puisque, lorsqu'on parle ou écrit sur lui : « ni dans l'éloge ni dans le blâme, [il] ne rencontre la moindre tentative afin de démêler le vrai du faux ».

Aussi bien, s'il est ici question — en de brefs, alertes et lucides chapitres — *Du théâtre*, *Du merveilleux au cinématographe* ou *De la France*, le sujet même du livre est, décapée des légendes absurdes, des déformations, des malentendus, la personne même du poète, somme de souvenirs, d'expériences, de souffrances.

Plus que sa critique d'une époque, que ses jugements, toujours justes et incisifs sur les œuvres et les hommes, plus même que les très utiles commentaires sur certaines de ses œuvres récentes, *Le Jeune Homme et la Mort*, ballet, et *L'Aigle à deux têtes*, ce qui compte ici au premier chef, ce sont ses vues sur les particularités et singularités de son existence, et, par conséquent, sur l'existence en général.

Le Foyer des artistes.

Publié en 1947, ce libre rassemble deux séries de chroniques parues dans les journaux : 1) *Articles de*

Paris, dans *Ce Soir*, du 2 mars 1937 au 21 juin 1938,
illustrations de la vie parisienne nocturne, du monde
changeant du spectacle, de la vie aussi du poète, dans
la mesure où il y fut mêlé : ses rencontres avec le boxeur
noir Al Brown, la chanteuse Suzy Solidor, et dans *Le
titre est à la fin*, une évocation de Montargis, où il écrit
Les Parents terribles. 2) *Le Foyer des artistes*, articles
publiés dans *Comœdia* sous l'occupation allemande,
du 4 octobre 1941 jusqu'en 1943, mais avec de longues
interruptions. Cocteau « se propose... de parler ici de
quelqu'un qui l'a frappé, soit au théâtre, soit au cinématographe, soit à l'Opéra, soit au music-hall », d'essayer de faire comprendre « l'immense effort des acteurs »,
que ne mentionnent qu'incidemment les critiques et
dont les spectateurs se rendent mal compte. Il en
résulte une série de portraits : Arletty, Maurice Chevalier, Charles Trenet, Raimu, Jean-Louis Barrault, etc.
Au courant de la plume, Cocteau évoque aussi ses
propres interprètes : « Mme de Bray et Mme Dorziat
dans *Les Parents terribles* », « Avant *Renaud et Armide* »,
« L'Équipe de *L'Éternel Retour* », « Les Coulisses de
L'Aigle à deux têtes ». Trois « Hommages » : à Jean
Giraudoux — tandis qu'il le dessine sur son lit de mort —,
à Molière, à l'occasion de l'inauguration de la Salle du
Luxembourg, le 20 novembre 1946, à Racine, pour la
célébration de son anniversaire à la Comédie-Française,
le 21 décembre 1946, complètent le volume.

Neiges.

Cette brève suite de neuf poèmes fut publiée pour la
première fois dans le volume III des *Œuvres complètes*
en 1947 et reprise en 1948 dans le recueil *Poèmes*. *Neiges*
a été composé en 1946 à Morzine, où Cocteau faisait un
séjour de convalescence et écrivait *La Difficulté d'être*.
Ces circonstances expliquent en partie le ton de certains poèmes où Cocteau se définit comme vidé de soi-

même, présent seulement par la marque de ses pas. Le silence de la neige, sa pureté, sa précarité, son absence-présence lui dictent les pièces où apparaissent ces chevaliers intemporels et mythologiques, ces amants enlacés — alors que lui a renoncé à l'amour —, en qui il faut reconnaître les skieurs qui partageaient son hôtel, société en marge de laquelle il vit en solitaire, en spectateur et sur laquelle il projette ses visions personnelles. Le poète ici prend ses distances, vis-à-vis non seulement du monde extérieur, mais de lui-même.

Un ami dort.

Publié en 1948, dans le recueil *Poèmes*, où Jean Cocteau regroupa les œuvres poétiques écrites pendant et aussitôt la guerre de 1939-1945 : *Léone, Allégories, La Crucifixion, Neiges*, ce long poème n'est pas seulement, malgré les apparences, une reprise de *Plain-Chant*, car l'ami n'est plus le même et le poète lui-même a changé : « Mon automne aimait ton été. » Ce dont il est ici question, ce n'est plus tant de passion que d'amitié, de respect mutuel et de sérénité.

Lettre aux Américains.

Publiée en 1949. Écrite les 12-13 janvier 1949, dans l'avion qui le ramène de New York, où il vient de passer vingt jours, c'est un avertissement cordial à ceux qu'il vient de quitter : exhortation à être attentifs, à n'être prisonniers ni de la richesse ni de la puissance, et surtout à ne pas préférer la sécurité à la liberté d'esprit.

Maalesh. Journal d'une tournée de théâtre.

Publié en 1949, ce Journal — dont le titre emprunté à l'arabe exprime un certain fatalisme — s'ouvre sur la mort de Christian Bérard (20 février 1949), et raconte au jour le jour la tournée qui conduisit Cocteau et une troupe qui comprenait vingt-deux comédiens, dont Jean Marais et Yvonne de Bray, au Caire, à Alexandrie, puis à Beyrouth, enfin à Istanbul et Ankara, où furent données des représentations de sept pièces dont trois de Cocteau : *La Machine infernale*, *Les Monstres sacrés* et *Les Parents terribles*. Se succèdent dans un rythme haletant représentations, réceptions, conférences improvisées et visites touristiques. Quelques pages étonnantes sur les secrets de la civilisation égyptienne qui fascine Cocteau. Le voyage commencé le 6 mars s'achève le 16 mai. Cocteau rentre seul par avion et passe quelques jours à Athènes. Il est de retour à Paris le 23 mai.

Bacchus.

Pièce en trois actes, écrite en quelques jours pendant l'été 1951 et représentée pour la première fois au théâtre Marigny par la compagnie Madeleine Renaud-Jean-Louis Barrault. Dédié « A Francine » (Weisweiller), *Bacchus* fut publié en 1952. Dans une petite ville allemande, au début du xvie siècle, l'arrivée d'un envoyé extraordinaire du Saint-Siège, le cardinal Zampi, venu pour enquêter sur les agissements des Luthériens, coïncide avec l'élection d'un « Bacchus », roi de Carnaval qui, selon une antique tradition, jouit pendant une semaine d'un pouvoir absolu. L'élu est un jeune paysan qui passe pour un idiot. C'est en fait, sous ce masque, une sorte d'anarchiste idéaliste qui veut faire régner l'amour. Son attitude engendre une haine féroce qui le menace du bûcher. Le cardinal, ému par sa sincérité, tente de le sauver, en lui proposant d'entrer dans les ordres. Ce que Hans refuse. Une flèche envoyée par le fils du duc, devenu son ami, lui évitera *in extremis* le supplice du feu.

Cocteau lui-même s'est expliqué sur la signification, alors incomprise, de cette pièce : « *Bacchus* est une pièce

7

sur la bonté dure qui s'oppose à la bonté molle... Un cardinal romain, d'âme haute, devine l'âme haute d'un jeune hérétique. Il s'efforce de le sauver, même après sa mort. Il lui évite une seconde mort crapuleuse et, par un " pieux mensonge ", lui permet de reposer en terre sainte. » Et encore : « *Bacchus* présente le désarroi de la jeunesse qui se cherche et ne sait où donner de la tête et du cœur au milieu des dogmes qu'on lui oppose. » Rappelons qu'à cause de François Mauriac, la pièce fit scandale et ne connut que peu de représentations.

Jean Marais.

Publié en 1951, dans la collection « Masques et visages » qui rassemblait des portraits de comédiens par des écrivains, ce *Jean Marais* est à la fois un hommage au talent, à la probité et à l'intégrité de l'acteur, et un essai sur les rapports entre le caractère particulier d'un homme et le comédien qu'il est devenu.

Gide vivant.

Propos recueillis par Colin-Simard. Les rapports Gide-Cocteau ont toujours été très ambivalents ; ils peuvent être définis par cette phrase de Cocteau placée en tête de ces propos : « J'aurai toujours l'air de parler mal de Gide, comme il a l'air de parler mal de moi. Il m'aimait bien et je l'agaçais. Je l'aime bien et il m'agace. » D'où, peu après la mort de Gide, cette mise au point. Les griefs de Cocteau : une certaine forme d'hypocrisie de la part de Gide qui le poussait à « toujours avouer de petites choses pour ne pas avouer les grandes », une certaine obstination à prolonger sa jeunesse — Gide se faisait très artificiellement jeune parmi les jeunes, se proclamant leur complice, alors qu'ils attendaient de

lui qu'il fût un maître — (tandis que ce qu'il s'agit de
préserver en soi, selon Cocteau, c'est l'enfance), sans
compter maintes petitesses, maintes faussetés qui ren-
daient fort difficiles les relations avec lui. Mais au fond,
ce que Cocteau reproche à Gide, c'est, sur le plan personnel, une certaine déloyauté, d'autre part et surtout,
sur le plan littéraire, de ne pas s'être laissé aller, d'être
resté constamment « visible », d'où cette conséquence :
« lorsque l'écrivain ne se résigne pas à être le domestique
d'une force qui l'habite, il doit devenir sa propre caricature », enfin non de n'avoir pas été poète — ça n'était
pas dans sa nature —, mais d'avoir détesté que d'autres
le fussent.

Le Chiffre sept.

Écrit à la demande de Pierre Seghers au cours de l'été
1952, et publié la même année, ce long poème où Jean
Cocteau laisse se dérouler le peu de « fil » qui lui reste,
est semé d'allusions biographiques discrètes — presque
secrètes — ; indirectement le poète s'y plaint de la
manière dont l'accueille le monde, qui lui décerne des
récompenses, mais ne l'en écoute pas davantage. On y
devine la trace des blessures que viennent de lui infliger
les deux échecs successifs de *Bacchus* (1951) et de la
représentation en 1952 de l'*Œdipus rex*. En fait l'apparente facilité du poème qui semble couler est trompeuse,
elle est semée de chausse-trapes. Conscient d'approcher
de la mort dans laquelle il se prépare à entrer, Cocteau
s'adresse aux vivants qui vont rester derrière lui et tente
de leur faire enfin comprendre ce qu'est la mort, et
qu'ils mourront non seulement individuellement, mais
collectivement, car les civilisations, l'humanité, la Terre
elle-même meurent aussi. Et ici le poète parle clair et de
manière insistante : qu'ils comprennent enfin que leur
mort vit avec eux, vit d'eux — comme eux d'ailleurs
vivent d'elle, jusqu'à ce que se renverse l'équilibre de la

balance —, que la Nature qu'ils croient naïvement
maîtriser aura finalement le dernier mot, que le destin
est cruel, indifférent aux souffrances qu'il inflige. Il
semble ici s'incarner dans l'Aurige de Delphes, aux yeux
impassibles, avatar nouveau et universel de l'Ange, ici
justicier, tandis que la Nature est représentée par les
brutalités de la mer en furie.

Poème plein de violence et d'humour noir, poème où
l'amertume cesse d'être personnelle et devient celle du
prophète qui se penche sur l'humanité et l'adjure avant
de la maudire, *Le Chiffre sept*, qui se réfère clairement
à l'*Apocalypse*, annonce l'élargissement final de la
vision du poète.

Journal d'un inconnu.

Publiée en 1953, cette suite d'essais s'apparente par
son propos à *La Difficulté d'être*, paru six ans plus tôt.
C'est une œuvre confidentielle, destinée à ceux qui veulent bien derrière le trop visible Cocteau, prisonnier
de sa réputation, entrevoir le poète invisible. Aussi
est-ce à l'un d'entre eux, René Bertrand, ami de rencontre, qu'est dédié ce livre. C'est, en effet, sinon de
l'apparition du poète invisible, du moins d'une de ces
prises de conscience les plus aiguës, les plus dramatiques
qu'il est question dans « De la naissance d'un poème »,
où Cocteau expose la genèse mystérieuse, effrayante
de *L'Ange Heurtebise*. De même, « De l'invisibilité »
tente de cerner au plus intime d'elle-même l'essence de sa
poésie, qui est, dit-il, la « sueur d'une morale ». « Des
distances », que Cocteau considérait comme un texte
essentiel, est une méditation très personnelle sur la
relativité qui débouche sur des aperçus étonnants et
vertigineux. « De l'amitié » complète le chapitre du
même nom, paru dans *La Difficulté d'être*. Les autres
essais sont plus circonstanciels, liés davantage à l'actualité biographique : « D'un morceau de bravoure » raconte

la querelle qui l'opposa à François Mauriac au sujet de
Bacchus (1951) ; « D'une justification de l'injustice »
rapporte ses démêlés avec André Gide, Maurice Sachs
et Claude Mauriac. L'ouvrage se termine sur des notes
au sujet de la mise en scène d'*Œdipus rex* (1952) et à
propos d' « Un voyage en Grèce » (juin 1952).

Appogiatures.

Recueil publié en 1953 et dédié à Henri Parisot.
Cocteau en commença la composition aussitôt après
avoir terminé celle du *Chiffre sept*, au cours de l'été 1952,
et le termina l'été suivant à la villa Santo-Sospir.

Dans ces 49 (7 × 7) poèmes en prose, Cocteau qui a
donné l'année précédente avec *Le Chiffre sept* un « poème
étalé » revient ici à la plus grande concision, à une con-
densation, où les mots d'eux-mêmes se heurtent et font
des étincelles, — chaque poème occupe à peine une
page —. Si la méthode se rapproche de celle employée
dans le *Musée secret* d'*Opéra*, il s'agit ici de rendre compte
avec la plus grande exactitude possible de fantasmes,
c'est-à-dire d'événements réels — bien qu'imaginaires —,
que leur caractère déconcertant, a-logique nous empêche
d'ordinaire de percevoir, et que seul peut nous révéler
l'état second dans lequel plonge la méditation. Celle-ci
permet au poète d'entrevoir le retentissement cosmique
du moindre de nos gestes, cette mystérieuse solidarité,
capable, par notre inconscience, d'engendrer les pires
catastrophes (ainsi qu'en témoigne sur le plan visible,
quotidien, la possibilité permanente d'explosion des
bombes atomiques). Parce que Cocteau expérimente ici
ces courts-circuits mentaux, les poèmes d'*Appogiatures*
se mettent parfois à ressembler aux « koans » des maîtres
du Zen. Rappelons que le titre de ce recueil, emprunté au
vocabulaire de la composition musicale, signifie : « sorte
d'ornement de la mélodie qui consiste à faire entendre,

avant une note réelle, une petite note assez généralement
conjointe à celle-ci, soit en dessus, soit en dessous, *et
qui est en dehors de l'harmonie* ».

Clair-Obscur.

Recueil poétique publié en 1954. Commencé pendant
l'été 1953, alors que Cocteau terminait *Appogiatures*, de
telle sorte que la composition de ces trois œuvres : *Le
Chiffre sept*, *Appogiatures* et *Clair-Obscur* se suivent sans
discontinuité et même s'enchaînent et interfèrent, il fut
achevé à Kitzbühel (Autriche) en février 1954. Le recueil
introduit par une préface extrêmement brève : « La
poésie est une langue à part que les poètes peuvent parler
sans crainte d'être entendus, puisque les peuples ont
coutume de prendre pour cette langue une certaine
manière d'employer la leur », comprend : *Les Cryptographies*, au nombre de 92, 26 poèmes groupés sous le
titre : *Divers*, et *Hommages et poèmes espagnols* qui
comptent 20 hommages à des peintres — ceux du Musée
du Prado —, à des écrivains du passé, dont Gongora,
mais aussi à quelques vivants, tels Manolete ou Picasso.
Les « poèmes espagnols » se rapportent au premier
voyage de Cocteau en Espagne en 1953, qui fut pour lui
une découverte.

Dans *La Corrida du 1er mai*, Cocteau s'est lui-même
expliqué sur le sens à donner à ce recueil, et particulièrement aux *Cryptographies* : « C'est... une ultime tentative
de faire part, à quoi ne se peuvent apparenter ni *L'Ange
Heurtebise*, ni *La Crucifixion*, solitudes consenties, nées
et mortes d'avance sur leur île. *Clair-Obscur* se pourrait
partager en diverses phases : 1º L'auteur essaie de s'ar-
ranger sur l'île déserte ; 2º L'auteur agite sa chemise ;
3º L'auteur crie au secours ; 4º L'auteur précise ses
appels en morse ; 5º L'auteur se laisse retomber sur le
sable avec la figure dans ses mains. »

Tel Marco Polo, le poète a décrit les merveilles qu'il a

vues et nul ne l'a cru (XXIV, XXV). Contre cette inat-
tention, cette incrédulité, cette mauvaise foi, qui traite
de jonglerie ce qui n'est que le compte rendu, le moins
inadéquat possible, de sa dure expérience, il a un sursaut
de révolte, le dernier. Dans les œuvres suivantes, Cocteau regagnera seul les sommets, sans plus se soucier
d'être suivi. Mais déjà il s'entoure de silence protecteur ;
le clair est aussi l'obscur, la vérité est cachée à ceux qui
ne prennent pas la peine de tenter de la décrypter, ce
qui nous vaut quelques très beaux et très hautains
poèmes métaphysiques.

Colette. Discours de réception à l'Académie royale de langue et de littérature françaises de Belgique.

Prononcé le 1ᵉʳ octobre 1955, jour de sa réception au
fauteuil que venait de quitter Colette et où avait siégé
autrefois celle qui fut aussi l'amie de Cocteau, Anna de
Noailles, et publié la même année. C'est principalement
une évocation familière des dernières années de son
amie et voisine du Palais-Royal, où elle vivait désormais
en recluse, un portrait de celle que sa sagesse campa-
gnarde, sa pureté « presque impudique » fit demeurer
unique et intacte au milieu d'un monde qui lui ressem-
blait si peu.

Discours de réception à l'Académie française.

Prononcé le 20 octobre 1955 et publié la même année.
Plutôt que de l'éviter, Cocteau développe tout au long
le paradoxe, le scandale que constitue l'admission sous
la coupole d'un fantôme — le poète invisible —, au
milieu des vivants, et, parmi les bons élèves, d'un « mauvais élève » représentant tous ses semblables dont, quel

que fût leur génie, l'Académie s'est toujours détournée. En l'admettant, lui, elle répare ces fautes et se donne ainsi bonne conscience. Mais il ne la tient pas quitte pour autant si peu, il lui demande de protéger « les personnes suspectes d'individualisme », d'ouvrir ses portes au « singulier que le pluriel persécute ». Et, afin que nul n'en ignore, Cocteau fait clairement allusion à Jean Genet, d'ailleurs présent dans la salle. Quelques mois plus tard, à Oxford, Cocteau précisera : « passer des marchandises interdites fut l'objet de mon discours. »

Théâtre de poche.

Publié en 1955, ce petit livre regroupe des textes prétextes, d'un style lâché [qu'il ne faut pas lire relâché], vite écrits pour telle ou telle artiste qui désirait emporter dans son sac à main un numéro facile à exécuter sur les planches, l'argument d'un ballet ou d'un mime dont l'écriture véritable n'était qu'une écriture virtuelle et dont il faudrait publier la chorégraphie. Ces textes s'échelonnent des canevas de *Parade* (1917) et du *Bœuf sur le toit* (1920) aux monologues écrits pour Jean Marais. En voici la nomenclature :

Parade, argument du ballet réaliste, avec la collaboration de Picasso pour les décors et costumes et d'Erik Satie pour la musique, représenté au théâtre du Châtelet en 1917 par la Compagnie des Ballets Russes de Serge de Diaghilev, chorégraphie de Léonide Massine d'après les indications plastiques de l'auteur.

Le Bœuf sur le toit ou The Nothing Doing Bar, farce imaginée et réglée par l'auteur. Costumes de G.-P. Fauconnet. Décors et cartonnages de Raoul Dufy. Musique de Darius Milhaud. Orchestre de 25 musiciens dirigés par Wladimir Golshmann. Représentée pour la première fois à Paris le samedi 21 février 1920 à la

Comédie des Champs-Élysées et à Londres le 12 juillet 1920 au Coliseum.

Le Pauvre Matelot, complainte en trois actes, musique de Darius Milhaud, dont l'intrigue ressemble beaucoup à celle du *Malentendu* d'Albert Camus.

L'École des Veuves, un acte écrit d'après le conte de Pétrone *La Matrone d'Éphèse* pour Mlle Arletty et représenté à l'ABC en 1936.

Le Bel Indifférent, nouvelle version de *La Voix humaine*, mais cette fois le personnage masculin est présent en scène, bien que muet, « écrit pour Mlle Édith Piaf ». Représenté pour la première fois en 1940 au théâtre des Bouffes-Parisiens avec le décor de Christian Bérard. *Le Bel Indifférent* fut joué alors en lever de rideau, avant *Les Monstres sacrés*.

Le Fantôme de Marseille, écrit pour Mlle Édith Piaf d'après le conte portant le même titre et publié par la N. R. F. (en 1933).

Anna la bonne, écrit pour Mlle Marianne Oswald. Musique de l'auteur (une java).

La Dame de Monte-Carlo, écrit pour Mlle Marianne Oswald. Musique de l'auteur.

Le Fils de l'air, récité par l'auteur pour un disque de la Compagnie ultraphone (1925).

Enfin *Chansons et Monologues*, écrits pour Jean Marais et qui furent dits à la radio avec accompagnement musical de Jean Wiener : *Le Menteur, Par la fenêtre, Je l'ai perdue, Lis ton journal*, thème du *Bel Indifférent* à l'usage d'un acteur, *La Farce du château*.

En dépit de leur grande diversité, ces textes trouvent leur unité dans la réaction qu'ils font naître chez l'auditeur ou le lecteur : impression d'étrangeté obsessive, de gêne et de trouble, allant presque jusqu'à l'angoisse.

Discours d'Oxford.

Prononcé à l'occasion de sa réception au grade de docteur ès lettres *honoris causa* à l'université d'Oxford en juin 1956, et publié la même année. Ici, contrairement aux précédents discours, Cocteau s'adresse à des étudiants, à des jeunes gens et sur un ton de camaraderie. Il profite de cette chance pour définir à leur usage la poésie : « solitude effrayante, malédiction de naissance, maladie de l'âme », message irrésistible venu du dedans, par opposition à la gratuité de l' « allure poétique », qui n'en est que la contrefaçon.

Se présentant lui-même en une biographie éclair, il y précise ce qu'il doit à ceux qui furent ses maîtres : Stravinski, Picasso, Satie, Radiguet, ses relations avec Proust, Gide et le surréalisme. Enfin, et c'est la partie la plus neuve, la plus originale du *Discours*, il explique l'émotion ressentie devant l'œuvre d'art comme procédant d'une « manière de sexualité psychique », provoquant « une érection interne qui s'exerce sans notre contrôle et nous donne la preuve immédiate de l'efficacité des formes et des couleurs, aptes à convaincre un point secret de notre organisme », « le rôle de l'artiste sera donc de créer un organisme ayant une vie propre puisée dans la sienne, et non pas destiné à surprendre, à plaire ou à déplaire, mais à être assez actif pour exciter des sens secrets, ne réagissant qu'à certains signes qui représentent la beauté pour les uns, la laideur et la difformité pour les autres ».

Poèmes (1916-1955).

Il existe plusieurs recueils auxquels Cocteau a donné simplement le titre de *Poésies*, *Poésie* ou *Poèmes*, dont le contenu varie au fur et à mesure que s'étend l'œuvre poétique. Les premiers : *Poésies* (*1917-1920*) et *Poésie*

(1916-1923) rassemblent tous les poèmes alors existants, tandis que les suivants, à partir de *Morceaux choisis*, publiés en 1932, sont des anthologies établies par l'auteur lui-même à partir de la totalité de son œuvre poétique. Ainsi en va-t-il des *Poèmes* publiés à Lausanne en 1945 et du dernier recueil *Poèmes (1916-1955)*. Toutefois, dans l'ouvrage intitulé aussi *Poèmes* et publié chez Gallimard en 1948, Cocteau donne seulement, mais intégralement, la série des poèmes écrits depuis la guerre : *Léone* (1945), *Allégories* (1941), *La Crucifixion* (1946), *Neiges* (1947), et, en édition originale *Un ami dort*.

Poèmes (1916-1955) est donc la dernière anthologie poétique assemblée et choisie par Cocteau lui-même. Dans une « Note de l'éditeur », il en donne la justification suivante : « Les poèmes de ce volume furent en quelque sorte le centre des recueils où, d'époque en époque, ils prirent place. Nous avons réuni ces pièces dans l'ordre chronologique, sous un éclairage propre à révéler le fil invisible qui les reliait de loin les uns aux autres. » Il s'agit donc d'un choix exemplaire parmi des fragments de tous âges dont voici la liste avec l'indication des recueils où ils furent pour la première fois publiés :

Malédiction du laurier (1916) et *Désespoir du Nord* (1918), extraits du *Discours du grand sommeil* (1916-1918), publiés en 1924 ; *Prière mutilée* (1921), publiée isolément en 1923, puis dans *Opéra* (1927) ; *A force de plaisirs...*, tiré de *Vocabulaire* (1922) ; un long extrait de *Plain-Chant* (1923) ; *L'Ange Heurtebise* (1925) ; *Par lui-même*, tiré d'*Opéra* (1927) ; *Cherchez Apollon* (1931-1932) et *L'Incendie* (1938), publiés dans *Allégories* (1941) ; *Léone* (1942-1944) ; *La Crucifixion* (1945-1946) ; *Habile est une hermine*, publié dans *Neiges* (1947) ; un extrait d'*Un ami dort* (1948) ; *Le Rythme grec*, publié dans *Anthologie poétique* (1951) ; des extraits du *Chiffre Sept* (1952) ; *Hommage à Gongora* (1953), *Sonnet de Gongora* (traduction) et *Hommage au Greco* (1953), publiés dans *Clair-Obscur* (1954).

La Corrida du 1er Mai.

Publié en 1957, ce bref ouvrage dédié « à Luis Miguel Dominguin et à Luis Escobar pour qu'il le lui traduise », fut inspiré à Jean Cocteau par la découverte de l'Espagne où il se rendit pour la première fois au cours de l'été 1953 et où il devait revenir plusieurs fois jusqu'à sa mort, et particulièrement par un événement survenu le 1er mai 1954 : assistant à une corrida aux arènes de Séville, Cocteau se vit dédier par Damaso Gomez son taureau. De ce moment, la *montera*, la toque noire du matador sur les genoux, le poète « devint le spectacle auquel il assistait » — le choc éprouvé alors fut si violent que Cocteau se demande s'il n'est pas à l'origine du premier infarctus du myocarde dont il fut victime un mois plus tard. Cocteau comprit alors le secret de ces noces entre la « Dame blanche » (la Mort), représentée par le taureau, son « ambassadeur », et le torero, en ce combat où l'homme devient la bête afin de la comprendre, et réciproquement, où l'homme et la bête changent alternativement de rôle et de sexe. Ainsi la corrida jusqu'alors extérieure s'incorporait-elle à sa mythologie personnelle, et même la représentait. Dès lors, Jean Cocteau comprit l'Espagne et l'aima avec respect, avec passion.

Cet essai sur l'Espagne comprend en outre : *Hommage à Manolete* (trois poèmes, le dernier en prose) ; *Notes sur un premier voyage en Espagne*, datées de juillet 1954 ; *Lettre d'adieu à Federico* (Garcia Lorca) ; *L'Improvisation de Rome*, causerie sur Picasso, prise au magnétophone par les organisateurs de l'exposition Picasso à Rome en 1953, où Cocteau ajoute les dernières touches à ce portrait de son ami entrepris depuis plus de trente ans.

Discours sur la Poésie.

Prononcé à l'auditorium de l'Exposition internationale de Bruxelles, le 19 septembre 1958. Reprenant ici l'un de ses thèmes, mais sur lequel chaque fois il jette un nouvel éclairage : la poésie « résulte des noces du conscient et de l'inconscient », Jean Cocteau pousse cette affirmation jusqu'à son extrême corollaire : la poésie est « la main-d'œuvre du schizophrène que chacun de nous porte en soi et dont il est le seul à ne pas avoir honte » ; « la seule excuse de l'artiste, c'est d'apprivoiser la folie sous la forme transcendante du génie ».

Les Armes secrètes de la France.

Ce discours fut prononcé quelques jours après le *Discours sur la Poésie*, à l'Exposition internationale de Bruxelles, en présence de la reine Élisabeth de Belgique, à qui il est dédié. *Les Armes secrètes* prolongent le thème du *Discours* sur un autre plan : l'apparente désobéissance du poète aux règles « consiste justement à obéir » à ce maître inconnu qui lui parle —, « l'art est une thérapeutique. Il nous débarrasse d'un despotisme ténébreux... ». Assurément, cette obéissance du poète le rend infaillible, mais il n'en peut tirer nul orgueil : « Lorsqu'on me félicite d'avoir salué à leur naissance tant de gloires de notre époque et qu'on s'en étonne, on ignore que je triche, c'est-à-dire que le seigneur inconnu qui est en nous me livre d'avance la liste des numéros qui doivent sortir. Il suffira d'être modeste, attentif et d'avoir l'oreille assez fine. »

Paraprosodies précédées de 7 dialogues.

Publié en 1958, ce petit volume conçu à Saint-Jean-Cap-Ferrat, au cours de l'été 1957, se compose de deux parties bien distinctes :

Les 7 *dialogues avec le seigneur inconnu qui est en nous*, étonnants textes en prose, dont le ton rejoint celui des grands mystiques et qui marquent le point le plus haut de la saisie par Cocteau de l'origine de son inspiration [1].

Et les *Paraprosodies*, auxquelles les *Dialogues* servent en quelque sorte de préface, poèmes abrupts et complexes, où s'associent en combinaisons toujours nouvelles des thèmes récurrents — selon un principe qui ressemble à la variation musicale —, thèmes habituels mais aussi et surtout thèmes habituellement sous-jacents et qui explosent ici avec une intensité presque provocante. Leur déconcertante étrangeté nous semble provenir de deux facteurs, d'ailleurs intimement liés : d'une part, l'approche — ici à la toucher — de la source poétique originelle, la source creuse, profonde et noire, l'approche du personnage qui parle dans le poète et qui est ici, plus nettement que partout ailleurs, son inconscient, c'est-à-dire ce qui dépasse son conscient vers le haut comme vers le bas, d'où certaines images directement et violemment sexuelles, d'où la remontée d'impressions anciennes, profondément enfouies — et, d'autre part, et conjointement, le dessein — manifesté par le titre même de paraprosodie —, de parvenir à une nouvelle forme, à une métamorphose de la poésie, en dehors ou plutôt par-delà l'évolution poétique traditionnelle, qui redonnerait aux sons leur valeur purement musicale et quantitative, c'est-à-dire plus évocatrice que signifiante, tentative qu'il conviendrait donc de rapprocher des essais prosodiques de la Renaissance.

Enfin, sur un plan plus banal, plus biographique, cet éloignement du poète, cette distance qu'il prend par rapport à ses lecteurs — lesquels furent généralement décontenancés — correspond à ce détachement de Cocteau envers sa propre vie, son propre personnage, au moment où la gloire, si longtemps désirée, finalement

---

1. On trouvera ce texte intégralement reproduit dans « Pages choisies ».

l'assaille, alors que son corps commence à l'abandonner,
détachement qui ne laisse plus subsister que le Poète
invisible (celui qu'il montrera aussitôt après dans *Le
Testament d'Orphée*), son ultime avatar, seul digne de
lui survivre et de le représenter chez les hommes.

Gondole des morts.

Ce très mince opuscule, publié en 1959 à Milan,
illustre le séjour fait par Jean Cocteau à Venise en juil-
let-août 1958. Il contient deux poèmes — dont le manuscrit corrigé est reproduit en fac-similé —, *Gondole des
morts* et *Le Cavalier de bronze*, rêveries visionnaires ins-
pirées par la société et les spectacles vénitiens, ainsi
que 17 dessins en bleu et rouge, pleins d'étrangeté et de
verve satirique.

Poésie critique I.

Recueil de textes critiques publié en 1959, où Jean
Cocteau regroupe, autour des œuvres essentielles de
Poésie critique : *Le Secret professionnel* (1922), *D'un
ordre considéré comme une anarchie* (1923), *Le Mystère
laïc* (1928), *Des Beaux-Arts considérés comme un assassinat* (1932), nombre de textes dispersés : présentations,
préfaces, publications dans les revues ou en tirage restreint, enfin quelques inédits. En voici la nomenclature :
Apollinaire, publié dans la revue *La Parisienne*,
n° 13, janvier 1954 ; *Picasso* (1923), publié dans *Le
Rappel à l'ordre* (1926) ; *Max Jacob*, deux textes, publiés le premier dans *Carte blanche* (appendice de 1924),
le second en avant-propos aux *Lettres imaginaires* par
Max Jacob (1952) ; *Marcel Proust*, composé de notes
extraites d'*Opium*, de *La Voix de Marcel Proust*, publié
dans *Hommage à Marcel Proust* (1927) et de *La Leçon
des cathédrales* ; *Raymond Roussel*, article publié dans

la N. R. F. en 1933 ; *Jean Desbordes*, note sur *Les Tragédiens*, livre de Desbordes, publiée dans la N. R. F.
(1931) ; *Le Mythe du Greco* (1943) ; *Paul Verlaine,
Place du Panthéon* (1934) ; *Gide vivant* (1952) ; *Jean
Marais*, extraits du livre de 1951 ; *La Légende de Sainte
Ursule*, commentaire du film de Luciano Emer d'après
les Carpaccio de Venise (1958), où apparaît pour la
première fois un des thèmes du *Requiem ; Modigliani*
(1958) ; *Bernard Buffet*, inédit (1957) ; *La Princesse de
Clèves* (1956) ; *Jean-Jacques Rousseau*, texte publié en
1939, augmenté d'un post-scriptum de 1958.

 On peut dire que si Cocteau n'a pas su résister aux
sollicitations, du moins a-t-il choisi de ne parler que de
ceux qu'il aime et de tenter de faire comprendre pourquoi il les aimait, ce qui fait de ces portraits ici rassem-
blés une sorte de panthéon personnel, par rapport auquel, et sous les angles les plus divers, il se définit encore
lui-même.

Poésie critique II. Monologues.

 Recueil de textes critiques de toutes époques, publié
en 1960 et faisant suite à *Poésie critique I* publié l'année
précédente. *Monologues*, car ces lettres, ces discours
s'adressent directement à autrui, définissant devant
l'autre la position particulière du poète, et sont autant
de messages de lui aux autres. Afin d'aider à la compréhension de ces textes apparemment disparates, de permettre de « suivre une œuvre qui croise ses fils et les
tisse comme une araignée », l'auteur les fait précéder de
quelques pages qui définissent : *La démarche du poète.*
Suit, accompagnée d'une mise au point de 1958, la
Lettre à Jacques Maritain (1926). Ensuite la série des
textes beaucoup plus récents, où devenu un personnage
socialement reconnu, Cocteau profita de ce rôle quasi-
ment officiel pour tenter de faire passer dans le public
les idées qui lui étaient chères : *Lettre aux Américains*

(1949) ; *Discours de réception à l'Académie royale de langue et de littérature françaises de Belgique* (1955) ; *Discours de réception à l'Académie française* (1955) ; *Discours d'Oxford* (1956) ; *Discours sur la Poésie* et *Les Armes secrètes de la France*, prononcés tous deux à Bruxelles en 1958.

Cérémonial espagnol du Phénix, suivi de La Partie d'échecs.

Ces deux longs poèmes furent publiés ensemble en 1961. Le *Cérémonial espagnol* fut commencé lors d'un séjour en Espagne en octobre 1960, dédié à Conchita, sœur de Federico Garcia Lorca, et précédé d'une citation de ce poète. Poème quelque peu hermétique, où se juxtaposent et se conjuguent les thèmes singuliers qui sont ceux de la dernière époque poétique de Cocteau, et dont l'exégèse est fort difficile, mais aussi poème musical, non seulement par ses divisions en Ouverture, cinq Mouvements et Finale, mais par sa structure même. En effet, Cocteau, frappé par la découverte de la poésie espagnole, de Gongora à Lorca, tente d'introduire dans la poésie française une rigoureuse prosodie.

La Partie d'échecs, écrite à Saint-Jean-Cap-Ferrat, appartient au même cycle musical et cryptique, et, comme les *Paraprosodies*, dont ce poème est très proche, se tisse autour de thèmes qui semblent issus du plus sombre et du plus profond de l'inconscient.

Le Cordon ombilical (Souvenirs).

Publié en 1962. Écrit pendant l'été 1961 à Marbella (Espagne), à la demande de Denise Bourdet, son amie de toujours, à qui ce livre est dédié, *Le Cordon ombilical* se propose, conformément au titre de la collection à laquelle il était destiné, d'expliciter les rapports entre le créateur et ses personnages. Occasion opportune pour Cocteau de tenter encore une fois — et avec plus d'énergie, de mordant que jamais — de se dépêtrer des interprétations et des légendes, de répondre aux attaques de ceux qui, pour cacher leur embarras, le traitent d' « acrobate » et de « tricheur », de défendre enfin contre l'incompréhension ce « poète invisible » qui est le vrai personnage de cette enquête. Cocteau y définit la poésie comme un sacerdoce austère, qui exige le sacrifice de soi-même, et l'art comme « une des formes les plus tragiques de la solitude », payée par l'indifférence ou l'hostilité de ceux qu'il dérange. Il ajoute : « Vous demeurez en fin de compte votre seul juge et presque toujours le juge est dérouté par le moi obscur qui le dirige et qu'il connaît fort peu. »

Au passage, Jean Cocteau n'en précise pas moins, et avec plus de clarté qu'ailleurs, ses rapports avec les personnages de ses œuvres : l'Ange Heurtebise, c'est lui, « bien qu'il soit un moi qui n'est pas moi », Dargelos, dont il n'a emprunté que le nom, Germaine du *Grand Écart* où l'on a voulu contre toute vraisemblance un travesti. *Le Cordon ombilical*, petit livre aussi simple que sincère, constitue une mise au point indispensable pour qui veut approcher au plus près de la vérité des rapports entre l'homme et son œuvre.

L'*Impromptu du Palais-Royal.*

Ce « divertissement », écrit à la demande des Comédiens Français en décembre 1961, fut créé comme prologue aux *Fourberies de Scapin*, lors de la tournée de la Comédie-Française au Japon, et publié en 1962. L' « impromptu », ainsi que le rappelle Cocteau dans sa Préface, est au théâtre un genre. Le poëte se conforme donc à ses règles, ou plutôt il les annexe à son profit : la scène sans décors déborde dans les coulisses et même dans la salle, d'où intervient une pseudo-spectatrice, les comé-

diens jouent leur propres rôles, en même temps que celui
que l'auteur leur impose et qui ne leur convient pas
toujours : dans la représentation du repas où Louis XIV
invite à sa table Molière, intolérable entorse à l'étiquette
qui suscite de vives réactions chez les courtisans. Mais
même cette pseudo-intrigue est finalement mise en
doute : il est probable que ce repas n'a jamais eu lieu.
L'Impromptu du Palais-Royal n'est pas qu'un divertissement brillant, c'est un essai fort original de théâtre
dans le théâtre, et même de théâtre dans le théâtre
dans le théâtre, ceci à l'infini et jusqu'au vertige.

Le Requiem.

Ce poème, le plus long que Jean Cocteau ait écrit —
plus de 4 000 vers —, est aussi son testament poétique.
Il fut composé dans des circonstances très particulières :
en janvier 1959, à la suite d'une hémoptysie, condamné
pour longtemps au repos immobile et couché sur le dos,
Jean Cocteau écrivit « au plafond comme marchent les
mouches », les premières pages du *Requiem*, qu'il eut
ensuite beaucoup de peine à déchiffrer. Le 7 mars 1959,
de Morzine où il était en convalescence, Cocteau annonce
que le poème est terminé. En fait, quelques-unes des
pièces qui le composent étant datées, on s'aperçoit que la
composition s'en prolongea jusqu'en mai 1959. Puis,
en un second temps, le poète tenta le décryptage de
cette œuvre qu'il avait conçue dans un état second.
Il n'en vint à bout que deux ans plus tard, en octobre
1961. *Le Requiem* parut au printemps de 1962.

Dans une préface, Jean Cocteau expose la genèse
singulière de cette œuvre, que, par « volonté de fran-
chise », il s'est refusé à modifier, et s'explique sur quelques-unes de ses particularités : absence de ponctuation,
destinée à laisser libre la respiration interne des strophes, « haltes » qui coupent les « périodes » et qui lui
furent suggérées par celles qui jalonnaient ses prome-

nades de convalescent à Saint-Moritz, entre son hôtel
et Sils Maria, où il retrouvait l'ombre de Nietzsche.

Le poème qui s'ouvre par un « Préambule » est divisé
en cinq « périodes », elles-mêmes coupées de « haltes »,
sortes de parenthèses, dédiées soit à un « maître » :
Léonard de Vinci, Paracelse…, soit à un sujet particulier et hors d'œuvre : « Le Massacre des innocents »,
« Le Bain des Grâces », et aussi de quelques pièces diverses : hymne, intermède et hommage. Il se termine par
une épitaphe de quatre vers. Mais, en fait, ces divisions
ne sont que les temps de respiration de cet organisme
d'une seule venue, d'une seule coulée, fleuve aux méan-
dres et aux affluents multiples, qui charrie mythologie
et souvenirs, réminiscences d'un très ancien passé et
vues prophétiques, par quoi le poème ressemble à ce
qu'on dit se passer dans l'esprit d'un moribond au
cours de son agonie. Mais *Le Requiem* est aussi et d'abord
une descente aux Enfers, inspirée par la gravure du
tableau de Delacroix représentant Dante et Virgile qui
depuis son enfance ornait les murs de la chambre de
Cocteau, et sur laquelle il a longuement médité. Mais
c'est d'une aventure personnelle qu'il s'agit. Cette fois,
Orphée est bien passé, corps et âme, de l'autre côté.
Guidé par l'Ange, devenu psychopompe, le poète
voyage dans la Mort, dans l'Infini, voyage initiatique
au cours duquel il ne quitte pourtant pas sa chambre,
laquelle, dans sa vision, devient un univers, l'univers
lui-même, alors que lui-même rapetisse, n'est plus bientôt que « poussière de poussières », voltigeant dans la
chambre. Voyage, mais surtout métamorphose, renoncement joyeux au moi, acceptation de la mort comme
une libération : enfin, la prison s'est ouverte.

Poème admirable, l'un des plus riches et des plus
singuliers qui ait été écrit en notre langue, mais surtout
récit d'une authentique expérience mystique, qui marque le degré ultime et le couronnement de la longue
aventure spirituelle que fut en partie la vie et que demeure à tout jamais l'œuvre de Jean Cocteau.

Jugements et reflets

1920. RAYMOND RADIGUET

Musset fit son œuvre sans se préoccuper du romantisme. De même Jean Cocteau écrit sans viser au modernisme. Il y a en lui assez de nouveauté pour qu'il puisse se permettre de respirer une rose.

(Journal Le Coq n° 1.)

1922-1923. ANDRÉ GIDE

Je relis en volume *Le Secret professionnel* de Cocteau... Comment avais-je pu trouver cela bon ? La vanité blessée ne réussit jamais que des grimaces.

(Journal, 10 septembre 1922.)

Lu en wagon *Le Grand Écart* de Cocteau, avec un grand effort d'approbation et de louanges... Mais bientôt l'irritation domine, devant un si constant et si avaricieux souci de ne rien perdre, un si précautionneux faire valoir. Sans cesse ici, l'art dégénère en artifice...

(Journal, 18 mai 1923.)

1926. MAX JACOB

... Il n'y a que les très grands hommes qui comprennent leur temps : tu as compris le tien en même temps que tu le créais. Tu sais tout ce que je mets dans cette phrase. Je dis « ton temps » parce que (Dieu juste !) il ne s'agit pas de la préface de *Cromwell* mais, si j'ose dire, de la couleur de la robe de la tour Eiffel après la brume. Baromètre en papier de soie, mauve par la pluie, et rose par le soleil, tu as connu ces baromètres qui faisaient la joie de mon enfance. Tu as construit le baromètre, le papier de soie, la soie du papier et tu l'as dépeint, peint...

> (Lettre à Jean Cocteau du 8 mars 1926
> à propos du *Rappel à l'ordre*,
> in *Lettres de Max Jacob à Jean Cocteau*,
> P. Morihien, 1949.)

1926. JACQUES MARITAIN

Je vous connaissais bien avant que vous sachiez mon nom. Je suivais vos mues de poète avec une curiosité diligente, je vous regardais comme une espèce de djinn occupé à surprendre les jeux purs et impurs des fées, au surplus rassasié de tristesse et fait pour un autre monde. L'énorme consommation de scaphandres que vous faisiez me frappait beaucoup. Avec *Le Cap de Bonne-Espérance*, le scaphandre devenait avion, je trouvais là un élargissement de mystère dont la témérité même faisait ma joie. J'admirai *Les Mariés de la tour Eiffel*, j'y voyais délivrée au théâtre la libre imagination qui jadis inventa les contes éternels.

... [Dans *Le Coq et l'Arlequin*] votre esthétique de la corde raide rejoignait sans peine la théorie scolastique de l'art. Avec une sagacité qui m'enchantait, vous formuliez pour la poésie (cachée sous la musique) les grandes

lois de purification et de dépouillement qui commandent
toute spiritualité, celle de l'œuvre à faire comme celle
de la vie éternelle à atteindre, et qui ont leur souverain
analogue (mais transcendant et surnaturel) dans l'as-
cèse et la contemplation. Vous ne vouliez de la poésie
que la poésie à l'état pur, le pur démon de la grâce
agile, la pure agilité de l'esprit. Et vous étiez fidèle
à votre vœu, vous quittiez ce que vous aviez, vous ris-
quiez tout à chaque instant, vous déliant sans cesse de
vous-même, exténuant tellement la matière et la pesanteur du corps que les gens vous reprochaient de n'avoir
plus de substance. Ce n'est pas pour rire que les charmes
gréco-romains de la Muse un peu grasse avaient fait
place pour vous à la dureté de l'Esprit venu de l'orient
du ciel. A ce degré vous vous trouviez porté comme par
fraude dans un combat plus haut livré que celui de
l'art et de la poésie, là où sans le casque et l'armure du
Christ on est perdu d'avance, vous ceinturiez des puis-
sances immatérielles, la mort vous pressait de toutes
parts, immobilisait en silence les imprudents qui vous
aimaient. Il n'était pas besoin d'être grand sorcier pour
deviner cette lutte contre la mort que vous avouez
maintenant, maintenant que la mort a perdu la partie.
Je sentais le tragique de votre exercice et de votre vie :
jeux de trapèze, acrobatie, fausses bombes, faux scan-
dales, — au fond du cirque luisaient les crocs des vraies
bêtes ; vous jongliez si haut et si franc avec vos cou-
teaux que l'accident n'était pas évitable ; on vous verrait le cœur ouvert par le désespoir, ou par la grâce de
Dieu.

(Réponse à Jean Cocteau, 1926.)

1926. RILKE

... Lui seul à qui la poésie ouvre le mythe d'où il
revient hâlé comme du bord de la mer.

(Télégramme à Mme Klossowska, juillet 1926.)

1928. JEAN DESBORDES

Je prenais le rêve pour de la grandeur et le désespoir m'attirait par son faste. J'attendais. Deux livres : *Thomas l'imposteur* et *Le Grand Écart* avaient transfiguré ma vie de campagne et de solitude. Je me suis mis à aimer cette vie nouvelle que la poésie touchait.

J'écrivais à Jean Cocteau et je le voyais. On aurait cru qu'il marchait un peu séparé du sol. Un air spécial lui apportait les premiers indices de l'amour chez les autres, les changements d'admiration, les tristesses, toutes les nuances du temps qu'il n'interprétait qu'avec le cœur. Ses gestes étaient des signes inconnus, des formes du mystère.

Je le voyais pleurer, crier, s'évanouir, je le voyais malade lorsqu'il ne pouvait prendre pied après des jours d'héroïsme, car se battre où personne n'arrive, attirer ce qui nous est invisible, le bâtir, le fortifier, en faire une chose simple dont on n'aperçoive pas les nœuds, les raccords, la découverte immense, c'est le travail le plus céleste qui soit.

(J'adore.)

1941. LUCIEN REBATET

Mais nous ne pouvons plus que mépriser Cocteau, le truqueur, l'énervé, le cuisinier de l'équivoque, des artifices les plus soufflés, les plus écœurants... Il a eu du talent et beaucoup d'intelligence... Son instabilité pathologique avait sans doute des excuses. Mais il est responsable de tout ce qu'il a cassé et flétri, du cortège de jobards mondains, de pédérastes, de douairières excitées qui gloussaient au génie derrière ses pas.

(Sous le pseudonyme de François Vinneuil,
in Je suis partout, 12 mai 1941.)

1950. ROBERT GOFFIN

Seule, la poésie peut juger la poésie au nom de la poésie ! N'en est-il pas généralement ainsi quand elle naît, puisqu'elle ne s'adresse qu'à ceux qui sont des pairs. Cocteau ne sera préalablement jugé que par des poètes. Il échappe aux censeurs professionnels, car ce n'est qu'à la longue que la rupture inscrira la nécessité d'une nouvelle logique dont le vocabulaire met toujours longtemps à franchir le seuil de la popularité.

(*Métabolisme poétique de Jean Cocteau,*
in *Empreintes* n° 7-8, mai-juin-juillet 1950.)

1950. JEAN GENET

... Le mot grec fut choisi par lui, et souvent la Grèce tout entière, il a voulu l'illustrer en se référant à elle. C'est qu'il sait ce qu'elle signifie de plus sombre, de plus souterrain, de farouche et de presque dément. Or, d'*Opéra* à *Renaud et Armide*, ces colonnes et ces temples cassés, nous les devinons être la forme visible d'une douleur et d'un désespoir qui choisirent — non de s'exprimer — mais de se dissimuler, en la fécondant, sous une apparence gracieuse, depuis qu'il semble entendu que la noble débâcle de l'Hellade appartient au monde. C'est le tragique du poète. Un humus humain profond, presque maladorant, exhale des bouffées de chaleur qui nous donnent quelquefois le rouge de la honte. Une phrase, un vers, un dessin d'une ligne très pure et presque innocente, entre l'interstice des mots, au point d'intersection, laissent fumer un air lourd, parfois fétide, révélateur d'une vie souterraine intense.

(*Jean Cocteau,* in *Empreintes, ibid.*)

1955. ANDRÉ MAUROIS

Vous êtes un prodigieux animateur et vous avez en des formes d'art très diverses modelé votre époque. Le poète Coleridge disait : « Je ne crois pas aux fantômes ; j'en ai trop vu. » Vous auriez le droit de dire : « Je ne suis pas les modes ; j'en ai trop fait. » On ne compte plus les écrivains, peintres, musiciens, cinéastes, acteurs qui vous ont dû leur renommée et qui la méritaient. Vos choix d'hier sont aujourd'hui, dans le monde entier, les classiques de tous.

(Réponse au Discours de réception de
M. Jean Cocteau à l'Académie française, 1955.)

1957. LÉON PIERRE-QUINT

Cependant, sous ce Cocteau tout en saillies, doué d'un esprit toujours renouvelé, en apparaît un autre plus mal connu et peut-être plus véritable. Dans un de ses dessins au trait, nous voyons un jeune homme le buste nu, assis sur le bord de son lit, vu de dos, qui semble sans défense contre le monde extérieur : sa colonne vertébrale en quadrillé, recouverte elle-même d'un grisé, paraît le siège d'une douleur inépuisable — « j'ai mal — comment vous dire ? *à mon massif central* », déclare dans l'ouvrage un personnage qui cherche à se désintoxiquer seul. Dans cette expression, ajoute Cocteau, « reconnaissez-vous le grand sympathique, la terrible chaîne de montagnes nerveuses, l'armature de l'âme », encore aujourd'hui si mal explorée ? C'est dans cette région de son être que l'auteur d'*Opium* semble avoir été le plus souvent atteint : perpétuel adolescent, plein de verve et d'assurance, Cocteau souffre dès qu'il n'a pas l'approbation continuelle de ses auditeurs. A peine a-t-il fait un mot qu'il se tient comme en suspens sur une patte, avec un sourire gentil, qui interroge, qui

attend un applaudissement complice. Il l'attend avec
une anxiété qui n'est presque jamais apparemment
visible, mais qui n'est pas moins réelle. C'est pourquoi
dans un article de critique sur lui, la plus petite réserve
à son égard le touche dans son moi profond et dans sa
sensibilité d'enfant-poète, dont il n'a jamais voulu
ou su se détacher. Ce Cocteau, au buste nu, dont la
vie intérieure reste soigneusement masquée, apparaît,
quand on l'approche de près, comme un sentimental.
Sa longue brouille avec les surréalistes, qui n'ont cessé
de l'attaquer, son dissentiment avec André Gide, qui
a pu avoir la jalousie pour origine, l'ont fait profondément souffrir, car il n'est à l'aise que quand il se sent
aimé. Son amitié tendre et passionnée pour ses amis (il
n'a jamais, nous dit-il, établi de frontières précises entre
l'amitié et l'amour) l'a soumis à de rudes épreuves.
Fréquemment, au long de sa vie, il a été rabroué par
ceux auxquels il s'était voué, dont il avait vanté la
pureté de l'œuvre et fait connaître la valeur. C'est ce
Cocteau, trop souvent séparé de ceux auxquels il s'était
attaché, qui a cherché, dans la drogue, à une certaine
époque de son existence, un contre-poison à la solitude.

(Avant-propos à l'édition d'*Opium* de 1957.)

1960. JEAN MARAIS

La poésie a donné ses ailes à Jean Cocteau, autrement comment se maintiendrait-il sans cesse à de pareil-
les hauteurs ?

La presse paresseuse emploie toujours à son sujet
les mêmes clichés : sorcier, enchanteur, magicien, et
cela me scandalise.

Si par miracle les personnes qui se permettent de le
mal juger pouvaient une seconde découvrir ce qu'il est
réellement elles mourraient instantanément de honte.

Son cœur est aussi pur que son intelligence est grande,

ce qui déroute et rend incompréhensibles certains de
ses actes. Sa bonté et sa générosité vous confondent
à tel point qu'il ignore la rancune, la haine, les brouilles.
Il souffre du mal qu'on lui fait sans jamais le rendre,
ce qui est la preuve d'un grand courage.

Ce n'est pas l'amitié qui me dicte ces lignes. L'amitié
que je lui porte vient de ce qu'elles expriment ce que
pense exactement mon cœur.

> (Texte inédit publié par J.-J. Kihm,
> in *Cocteau*, 1960.)

1969. GEORGES AURIC

A relire de telles pages où il s'efforce d'approcher, de
cerner, de pénétrer le plus vif de son époque, de ses
contemporains, on mesure avec émerveillement ce qui
le préserve d'un vieillissement qu'il était permis de
redouter.

Par un vocabulaire, un jeu d'images, d'éclairages
qui n'appartenaient qu'à lui, il établissait entre l'auditeur, l'amateur d'art, le lecteur (ses amis...) et ce qu'il
proposait à leur réflexion ou à leur admiration un lien,
faut-il le redire ? à nul autre pareil. En cela il avait
raison : sa « critique » était *poésie*.

Avec la surprise, le choc qu'elle provoquait, un grand
pan lumineux et d'une lumière souvent insoupçonnée
se projetait — dont l'éclat survit encore à ce qui ris-
quait parfois de n'être que de brillantes mais périssa-
bles métaphores.

« Auditeur, amateur d'art, lecteur, *amis* », écrivais-je
à l'instant. C'est bien pour tout cela, en effet, que le
poète Jean Cocteau demeure, demeurera un inoubliable
ami, qu'il le deviendra, j'en suis convaincu, pour beaucoup de ceux qui, par-delà les anecdotes et les légendes,
le découvriront demain.

> (In *Cahiers Jean Cocteau*, nº 1, décembre 1969.)

1969. PAUL MORAND

De la pointe des images jusqu'au bec de la plume, jusqu'au trait des formules-flèches, l'art de Jean Cocteau s'installa une fois pour toutes à l'extrémité de l'aigu ; son menton interrogeant, son regard transperçant, son nez en fer de flèche, ... ses mains affilées, ses cheveux dressés, en toute sa personne Cocteau vécut à la crête de sa vie, « allant jusqu'au bout de lui-même », disait-il, quand nous lui proposions de prendre du repos ; se reposer eût été s'émousser. L'électricité sortait comme d'un paratonnerre de tous les angles de son génie individualisé jusqu'à la rupture.

(In *Cahiers Jean Cocteau*, nº 1, décembre 1969.)

Documents

I. BIBLIOGRAPHIE

A. ŒUVRES DE JEAN COCTEAU

Pour mémoire [1]

1909. LA LAMPE D'ALADIN, poèmes. De Bouville et Cie, Paris. Participation à la revue *Schéhérazade* (avec Maurice Rostand) (novembre 1909-mars 1911).

1910. LE PRINCE FRIVOLE, poèmes. Mercure de France.

1911. LE DIEU BLEU, ballet de Jean Cocteau et F. de Madrazo. Heugel, Paris.

1912. LA DANSE DE SOPHOCLE, poèmes. Mercure de France.

1914. Participation au journal *Le Mot* (28 novembre 1914-1er juillet 1915).

*

1918. LE COQ ET L'ARLEQUIN (Notes autour de la muisque), avec un portrait de l'auteur et deux monogrammes par Pablo Picasso. Éditions de la Sirène, Paris. Republié dans *Le Rappel à l'ordre*, Stock, 1926.

1919. LE CAP DE BONNE-ESPÉRANCE, poème. Éd. de la Sirène. Republié en 1924 dans Poésie *1916-1923*, Gallimard ; en 1967 dans la coll. Poésie, Gallimard, préface de Jacques Brosse.

1. Jean Cocteau a voulu que ses trois premiers recueils de poésie soient oubliés, il les a éliminés de ses *Œuvres complètes*.

ODE A PICASSO, poème. F. Bernouard, Paris.

Republié en 1924 dans *Poésie 1916-1923*, Gallimard.

LE POTOMAK (1913-1914. Précédé d'un *Prospectus 1916* et suivi des *Eugène de la guerre 1915*). Société littéraire de France, Paris.

Republié en 1924 chez Stock, édition définitive.

PARADE. Ballet réaliste. Décor de Picasso. Musique d'Erik Satie. (Théâtre du Châtelet, 18 mai 1917)[1]. Rouart-Lerolle, Paris.

Republié en 1949 dans *Théâtre de poche*, édit. P. Morihien.

1920. CARTE BLANCHE (articles parus dans *Paris-Midi* du 31 mars au 11 août 1919). Éd. de la Sirène.

Republié en 1926 dans *Le Rappel à l'ordre*, Stock.

ESCALES, poèmes, avec 30 hors-texte et 7 aquarelles d'André Lhote. Éd. de la Sirène (40 exemplaires du tirage contiennent seuls le *Musée Secret*, dessins et poèmes).

POÉSIES (1917-1920). Éd. de la Sirène.

LE BŒUF SUR LE TOIT OU THE NOTHING DOING BAR. Farce. Musique de Darius Milhaud. Éd. de la Sirène musicale.

Republié dans *Théâtre de poche*, 1949.

1921. LA NOCE MASSACRÉE (*Souvenirs*) : I. *Visites à Maurice Barrès*. Éd. de la Sirène.

Republié en 1926 dans *Le Rappel à l'ordre*, Stock.

Journal LE COQ, puis LE COQ PARISIEN (mai-novembre 1920). Avec Raymond Radiguet.

1922. LE SECRET PROFESSIONNEL. Ill. de Picasso. Coll. « Les Contemporains », Stock.

Republié en 1926 dans *Le Rappel à l'ordre*, Stock.

VOCABULAIRE, poèmes. Éd. de la Sirène.

Republié en 1924 dans *Poésie (1916-1923)*, Gallimard.

1923. DESSINS. Stock.

LE GRAND ÉCART (roman). Stock.

---

1. Pour les pièces de théâtre, la date figurant entre parenthèses est celle de leur création.

PLAIN-CHANT, poème. Stock.

Republié en 1924 dans *Poésie (1916-1923)*, Gallimard.

LA ROSE DE FRANÇOIS, poème. Coll. *Alter ego, 2*, François Bernouard, Paris.

THOMAS L'IMPOSTEUR, roman. Gallimard.

PICASSO. Coll. « Les Contemporains ». Stock.

Republié dans *Le Rappel à l'ordre*, Stock, 1926.

LES MARIÉS DE LA TOUR EIFFEL (Théâtre des Champs-Élysées, 18 juin 1921). Gallimard.

Republié en 1928 avec *Antigone* (Gallimard) et dans *Théâtre*, tome I, Gallimard, 1949.

LA MORT DE G. APOLLINAIRE, poème publié dans la revue *Vient de paraître*, Paris.

> AUTOUR DE THOMAS L'IMPOSTEUR. *Les Nouvelles Littéraires*, 27 octobre 1923.
>
> LE DIABLE AU CORPS par Raymond Radiguet. Article dans *La Nouvelle Revue française*.

1924. POÉSIE 1916-1923. Gallimard.

Cette édition comprend : *Le Cap de Bonne-Espérance* (1919) ; *Ode à Picasso* (1919) ; *Poésies* (1920) ; *Discours du grand sommeil* (1916-1918) ; *Vocabulaire* (1922) ; *Plain-Chant* (1923).

> LE BAL DU COMTE D'ORGEL par Raymond Radiguet. *Préface*. Grasset.
>
> LES BICHES. Ballet de Francis Poulenc. Avec un texte de Darius Milhaud et de Jean Cocteau. *14 dessins et un portrait de F. Poulenc par Marie Laurencin, portrait de la Nijinska par J. Cocteau.* 2 vol. Éd. des Quatre Chemins, Paris.
>
> LES FACHEUX. Ballet de Georges Auric. Avec un texte de Jean Cocteau et de Louis Laloy. *23 dessins de Georges Braque, portrait de Georges Auric par Jean Cocteau.* 2 vol. Éd. des Quatre Chemins.
>
> FÉRAT. Présentation. Crès, Paris.

1925. CRI ÉCRIT, poème. *Avec un frontispice d'Henri de La Jonquière.* Imprimerie de Montane, Montpellier.

PRIÈRE MUTILÉE, poème. Coll. de L'Horloge, *Une heure, un poète.* Éd. des Cahiers libres, Paris.

LE MYSTÈRE DE L'OISELEUR, reproduction de manuscrits et d'autoportraits inédits. E. Champion, Paris.

LE SECRET PROFESSIONNEL, suivi des MONOLOGUES DE L'OISELEUR (12 dessins en couleur de l'auteur). Au Sans Pareil, Paris.

POÈMES, dans *Chronique 5*. Coll. *Le Roseau d'or*, Plon-Nourrit.

1926. L'ANGE HEURTEBISE, Poème. Avec une photographie de l'ange par Man Ray. Stock.

Republié dans *Opéra*, 1927, Stock.

LETTRE A JACQUES MARITAIN. Stock.

Le même éditeur publia peu après : Jacques Maritain, *Réponse à Jean Cocteau*.

MAISON DE SANTÉ. 31 dessins. Brian-Robert, Paris.

LE RAPPEL A L'ORDRE. Stock, Paris.

Cette édition comprend : *Le Coq et l'Arlequin* (1918) ; *Carte Blanche* (1920) ; *Visites à Maurice Barrès* (1921) ; *Le Secret professionnel* (1922) ; *Picasso* (1923), et deux inédits : *D'un ordre considéré comme une anarchie* (1923) et *Autour de Thomas l'imposteur* (1923).

LETTRE PLAINTE. R. Saucier, Paris.

ROMÉO ET JULIETTE. Prétexte à mise en scène d'après le drame de W. Shakespeare (Théâtre de la Cigale, 2 juin 1924). Au Sans Pareil, Paris.

1927. OPÉRA. Œuvres poétiques, 1925-1927. Couverture de Christian Bérard. Stock.

LA VOIX DE MARCEL PROUST, in *Hommage à Marcel Proust*, ouvrage collectif, Gallimard.

1928. ANTIGONE (Théâtre de l'Atelier, 20 décembre 1922), LES MARIÉS DE LA TOUR EIFFEL, LE NUMÉRO BARBETTE. Gallimard.

LE MYSTÈRE LAÏC (Essai d'étude indirecte). *Avec 5 lithographies* de G. de Chirico. Éd. des Quatre Chemins.

ŒDIPE ROI (avec ROMÉO ET JULIETTE). Coll. *Le Roseau d'or*, Plon.

LE LIVRE BLANC. *Illustré*. Sans nom d'auteur ni d'éditeur. Republié aux Édit. du Signe (1930) et chez Paul Morihien (sans date).

s'adore, par Jean Desbordes. *Préface*. B. Grasset.
les jeunes visiteurs, par Daisy Ashford. *Préface*. Mermod, Lausanne.

1929. les enfants terribles, roman. B. Grasset.

une entrevue sur la critique avec maurice rouzaud. « Les Amis d'Édouard », nº 145. Champion, Paris.

25 dessins d'un dormeur. Mermod.

1930. opium. Journal d'une désintoxication. *Ill. par l'auteur*. Stock.

la voix humaine (Comédie-Française, 17 février 1930). Stock.

1931. les tragédiens, par Jean Desbordes. Note dans *La Nouvelle Revue française*, nº 212, mai 1931.

1932. essai de critique indirecte. B. Grasset.
Cette édition comprend la republication du *Mystère laïc* (1928) et *Des Beaux-Arts considérés comme un assassinat*, édit. originale.

morceaux choisis. Poèmes. Gallimard.

1933. le fantôme de marseille. *Nouvelle Revue française*, novembre 1933.

1934. la machine infernale (Comédie des Champs-Élysées, 10 avril 1934). B. Grasset.

mythologie. Poème. Avec 10 lithographies de G. de Chirico. Éd. des Quatre Chemins.

1935. portraits-souvenirs, *1900-1914* (articles parus dans *Le Figaro* du 19 janvier au 11 mai 1935). B. Grasset.

retrouvons notre jeunesse (articles parus dans *Paris-Soir*, août 1935).

60 dessins pour « les enfants terribles ». B. Grasset.

1937. les chevaliers de la table ronde (Théâtre de l'Œuvre, 14 octobre 1937). Gallimard.

mon premier voyage. Tour du monde en 80 jours (articles parus dans *Paris-Soir* du 1er août au 3 septembre 1936). Gallimard.

1938. les parents terribles (Théâtre des Ambassadeurs, 14 novembre 1938). Gallimard.

une intervie / sur la poésie. *Conferencia*, 1er novembre 1938.

1939. ÉNIGME. *Gravure d'après un dessin de l'auteur.* Éd. des Réverbères, Paris.

JEAN-JACQUES ROUSSEAU. In *Tableau de la Littérature française*, XVIIe et XVIIIe siècles, ouvrage collectif, Gallimard.

Republié dans *Poésie critique I*, Gallimard, 1959.

1940. LA FIN DU POTOMAK. Gallimard.

LES MONSTRES SACRÉS (Théâtre Michel, 17 février 1940). Gallimard.

1941. ALLÉGORIES. Poèmes. Gallimard.

DESSINS EN MARGE DES « CHEVALIERS DE LA TABLE RONDE ». Gallimard.

LA MACHINE A ÉCRIRE (Théâtre Hébertot, 29 avril 1940). Gallimard.

1943. LE MYTHE DU GRECO. Avec un sonnet de Gongora, traduit par Jean Cocteau. Dans LE GRECO. Coll. « Les demi-dieux ». Au Divan, Paris.

Texte republié dans *Poésie Critique I*, 1959.

RENAUD ET ARMIDE (Comédie-Française, 13 avril 1943). Gallimard.

25e ANNIVERSAIRE DE LA MORT D'UN POÈTE. GUILLAUME APOLLINAIRE. Article dans *Comœdia*, n° 123, 6 novembre 1943.

1944. SERGE LIFAR A L'OPÉRA. Défini par Paul Valéry, parlé par Jean Cocteau, vécu par Serge Lifar. Champrosay, Paris.

LES POÈMES ALLEMANDS. Éd. Krimpeer, La Haye.

1945. LÉONE. Poème. *Avec deux lithographies de l'auteur.* Gallimard.

PORTRAIT DE MOUNET-SULLY. *Avec 16 dessins de l'auteur.* François Bernouard, Paris.

JEAN COCTEAU. Choix de poèmes par Henri Parisot, avec une étude de Roger Lannes. Pierre Seghers, Paris.

POÈMES. Morceaux choisis tirés de : *Le Cap de Bonne-Espérance ; Discours du grand sommeil ; Poésies ; Ode à Picasso ; Vocabulaire ; Plain-Chant, Opéra ; Musée secret.*

POÉSIE CRITIQUE. Choix de textes par Henri Parisot. Éd. des Quatre Vents, Paris.

1946. LA CRUCIFIXION. Poème. Paul Morihien, Paris.

LA BELLE ET LA BÊTE. JOURNAL D'UN FILM. J.-B. Janin, Paris.

LA BELLE ET LA BÊTE. JOURNAL D'UN FILM. *Avec des dessins de Jean Jacquelin.* Éd. du Palinugre, Sceaux.

SOUVENIRS DE JEAN GIRAUDOUX. Jacques Haumont, Paris.

L'AIGLE À DEUX TÊTES (Théâtre Hébertot, novembre). Gallimard.

ŒUVRES COMPLÈTES DE JEAN COCTEAU. Volume I. Contient : *Le Grand Écart ; Thomas l'imposteur ; Les Enfants terribles ; Le Fantôme de Marseille.* Éd. Marguerat, Lausanne.

1947. LA DIFFICULTÉ D'ÊTRE. Paul Morihien. Republié aux Éditions du Rocher, Monaco.

DEUX TRAVESTIS : *Le Numéro Barbette ; Le Fantôme de Marseille ; Illustré par l'auteur.* Fournier, Paris.

LE FOYER DES ARTISTES (*Articles de Paris,* parus dans *Ce Soir* du 2 mars au 21 juin 1938. *Le Foyer des artistes,* articles parus dans *Comœdia* du 4 octobre 1941 à 1943). Plon.

NOTES SUR « LE DIABLE AU CORPS » (film). *La Revue du Cinéma,* n° 7.

ŒUVRES COMPLÈTES DE JEAN COCTEAU. Volume II. Contient : *Le Potomak 1913-1914,* précédé d'un *Prospectus 1916* et suivi de *La Fin du Potomak,* texte définitif. Marguerat, Lausanne.

ŒUVRES COMPLÈTES DE JEAN COCTEAU. Volume III. Contient : *Le Cap de Bonne-Espérance ; Poésies ; Vocabulaire ; Plain-Chant ; Neiges* (en édition originale). Marguerat, Lausanne.

ŒUVRES COMPLÈTES DE JEAN COCTEAU. Volume IV. Contient : *Discours du grand sommeil ; Opéra ; Énigme ; Allégories ; Le Fils de l'air* (éd. originale) *; Léone ; La Crucifixion.* Marguerat, Lausanne.

RUY BLAS. Scénario et dialogues pour le film de Pierre Billon. Paul Morihien, Paris.

1948. DROLE DE MÉNAGE. *Ill. par l'auteur.* P. Morihien.

POÈMES.

Cette édition contient : *Léone ; Allégories ; La Crucifixion ; Neiges ; Un ami dort* (éd. originale). Gallimard.

REINES DE LA FRANCE. Avec des pointes-sèches de Christian Bérard. Darantière, Paris.

Republié (le texte seul) chez B. Grasset, 1952.

THÉÂTRE. 2 volumes. Gallimard.

Tome I : *Antigone ; Les Mariés de la tour Eiffel ; Les Chevaliers de la Table Ronde ; Les Parents terribles.*

Tome II : *Les Monstres sacrés ; La Machine à écrire ; Renaud et Armide ; L'Aigle à deux têtes.*

ŒUVRES COMPLÈTES. Tome V. Contient : *Orphée ; Œdipe roi ; Antigone ; La Machine infernale.* Marguerat, Lausanne.

ŒUVRES COMPLÈTES. Tome VI. Contient : *Roméo et Juliette ; Les Chevaliers de la Table Ronde ; Renaud et Armide.* Marguerat, Lausanne.

ŒUVRES COMPLÈTES. Tome VII. Contient : *Les Mariés de la tour Eiffel ; La Voix humaine ; Les Parents terribles ; Parade ; Le Bœuf sur le toit.* Marguerat, Lausanne.

LE SANG D'UN POÈTE. Scénario. Préface de 1946. En postface, conférence prononcée au Vieux Colombier en 1932. *Avec des photographies de Sacha Masour.* Marin, Paris.

HISTOIRE DU CHEVALIER DES GRIEUX ET DE MANON LESCAUT, par l'Abbé Prévost. *Préface.* Stock.

ANNA KARÉNINE, par Léon Tosltoï. *Préface.* Bordas, Paris.

MAURICE BARRÈS. Article. *La Table Ronde* n° 11, novembre 1948.

1949. DUFY. Coll. « Les Maîtres du dessin », Flammarion, Paris.

LETTRE AUX AMÉRICAINS. Grasset.

MAALESH. Journal d'une tournée de théâtre. Gallimard.

THÉATRE DE POCHE.

Cette édition contient : *Parade ; Le Bœuf sur le toit ; Le Pauvre Matelot ; L'École des veuves ; Le Bel Indifférent ; Le Fantôme de Marseille ; Anna la bonne ; La Dame de Monte-Carlo ; Le Fils de l'air ; Chansons et Monologues ; Avec 14 dessins de l'auteur.* P. Morihien.

ŒUVRES COMPLÈTES. Volume VIII. Contient : *La Machine à écrire ; Les Monstres sacrés ; L'École des veuves ; Le Bel Indifférent ; Anna la bonne ; La Dame de Monte-Carlo ; Le Fantôme de Marseille.* Marguerat, Lausanne.

> ORPHÉE. Film de Jean Cocteau. André Bonne, Paris.
>
> > PARIS TEL QU'ON L'AIME. Par Doré Ogrizek. *Préface.* Éd. Ode, Paris.
> >
> > CHOIX DE LETTRES DE MAX JACOB A JEAN COCTEAU. *Préface.* P. Morihien.
> >
> > UN TRAMWAY NOMMÉ DÉSIR. Adaptation de la pièce de Tennessee Williams. Bordas, Paris.
>
> CINQUANTENAIRE DU RESTAURANT MAXIM'S. 14 pages manuscrites reproduites en fac-similé (31 mai, 1er, 2, 3 juin).

1950. MODIGLIANI. *Bibliothèque aldine des arts.* Hazan. Republié dans *Poésie Critique I*, Gallimard, 1959.

ŒUVRES COMPLÈTES. Volume IX. Contient : *Le Rappel à l'ordre ; Le Numéro Barbette ; Lettre à Jacques Maritain ; La Jeunesse et le scandale* (édit. originale) *; Une entrevue sur la critique avec Maurice Rouzaud ; Jean-Jacques Rousseau.* Marguerat, Lausanne.

ŒUVRES COMPLÈTES. Volume X. Contient : *Le Mystère laïc ; Opium ; Des Beaux-Arts considérés comme un assassinat ; Quelques articles ; Préfaces ; Le Mythe du Greco ; Coupures de presse* (édit. en partie originale). Marguerat. Lausanne.

> INÉDITS, ÉTUDES, DOCUMENTS. *Empreintes*, n° 7-8, mai, juin, juillet. Bruxelles.
>
> CHRISTIAN BÉRARD, par Gabrielle Vienne. Notice de Jean Cocteau. Édit. des Musées Nationaux ; Paris.

ORSON WELLES, par Jean Cocteau et André Bazin. Coll. « Le Cinéma en marche ». Chavanne, Paris.

PORTRAITS DE FAMILLE. *Six gravures en couleurs de Leonor Fini.* Textes par Jean Cocteau, Francis Ponge, etc.

1951. ANTHOLOGIE POÉTIQUE. *Couverture et illustrations de l'auteur.*

Contient : *Le Cap de Bonne-Espérance ; Discours du grand sommeil ; Poésies ; Vocabulaire ; Plain-Chant ; Opéra ; Léone ; Allégories ; La Crucifixion ; Neiges ; Un ami dort ; Le Rythme grec* (inédit) ; *Atalante court à sa perte* (inédit). Club Français du Livre, Paris.

JEAN MARAIS. Coll. « Masques et Visages ». Calmann-Lévy.

ENTRETIENS AUTOUR DU CINÉMATOGRAPHE. Avec André Fraigneau. André Bonne, Paris.

ŒUVRES COMPLÈTES. Volume XI. Contient : *Portraits-Souvenirs ; Mon premier Voyage ; Le Foyer des artistes ; Hommages* (inédits). Marguerat, Lausanne.

ON NE PEUT SE PERMETTRE... in *Hommage à André Gide.* Numéro spécial de la N. R. .

LE ROSSIGNOL DE L'EMPEREUR DE CHINE. Commentaire du film de Jiri Trnka. *L'Avant-scène du Cinéma,* n° 3, avril 1951.

1952. LE CHIFFRE SEPT. *Avec une lithographie de l'auteur.* Pierre Seghers.

LA NAPPE DU CATALAN. *64 poèmes et 16 lithographies en couleurs de Jean Cocteau et Georges Hugnet.* Imprimerie Faguet et Baudier, Paris.

JEAN COCTEAU. Choix de poèmes par Henri Parisot et Roger Lannes. Nouvelle édition, refondue et complétée (poèmes et manuscrits inédits). Pierre Seghers.

OPÉRA. *Illustré par l'auteur.* Arcanes, Paris ; Éditions du Rocher, Monaco.

GIDE VIVANT. Propos recueillis par Colin-Simard. « Le livre contemporain », Amiot-Dumont, Paris. Republié in *Poésie Critique I,* Gallimard, 1959.

JOURNAL D'UN INCONNU. B. Grasset.

CET ÉLÈVE QUI DEVINT MON MAÎTRE. Article et dessin. *Les Nouvelles Littéraires*, 5 juin 1952.

> LETTRES IMAGINAIRES, par Max Jacob. *Avant-propos.* Les Amis de Max Jacob, Paris.
> Republié dans *Poésie Critique I*, Gallimard, 1959.

BACCHUS (Théâtre Marigny, 20 décembre 1952). Gallimard.

1953. APPOGIATURES. *Avec un portrait de l'auteur par Modigliani et un dessin de Hans Bellmer.* Éd. du Rocher, Monaco.

DENTELLE D'ÉTERNITÉ. Poème-objet. Pierre Seghers.

DÉMARCHE D'UN POÈTE. DER LEBENSWEG EINES DICHTERS. *Ill. par l'auteur.* Bruckmann, Munich.

VERSAILLES. Spectacle Son et Lumière. In *La Table Ronde*, nᵒ 68, août 1953.

> TRADUIT D'AVANCE. Poésie. Dân Al Set, Tardor de 1953.

> POÉSIE POUR TOUS, par C. Day Lewis et Y. Pères. *Préface.* Pierre Seghers.

> ITALIE, par G. Spaventa Filippi. *Préface.* Nagel, Paris.

> LA GRÈCE. *Préface.* Éd. Ode, Paris.

> PRESTIGE DES MILLE ET UNE NUITS. *Présentation.* Éd. de la Bibliothèque mondiale, Paris.

CARTE BLANCHE. Avec 15 dessins de l'auteur. Mermod, Lausanne.

LE SANG D'UN POÈTE. *Avec 12 dessins de J. Cocteau.* Éd. du Rocher, Monaco.

1954. CLAIR-OBSCUR. Poèmes. Éd. du Rocher, Monaco.

POÉSIES 1946-1947. Coll. « Le Lycanthrope », J.-J. Pauvert, Paris.

> L'ALLEMAGNE. *Préface.* Éd. Ode.

> VENISE. *Présentation.* Bordas.

APOLLINAIRE. *La Parisienne*, nᵒ 13, janvier 1954. Republié dans *Poésie Critique I*, Gallimard, 1959.

PROMENADES AVEC GUILLAUME APOLLINAIRE. *Le Flâneur des Deux Rives*, nᵒ 2, Paris.

1955. COLETTE. *Discours de réception à l'Académie royale de langue et de littérature françaises de Belgique* (1er octobre 1955). Grasset.

DISCOURS DE RÉCEPTION DE M. JEAN COCTEAU A L'ACADÉMIE FRANÇAISE et *Réponse de M. André Maurois* (20 octobre 1955). Gallimard.

LETTRE SUR LA POÉSIE. *Préface* à *Foudre natale* de Robert Goffin, Dutilleul, édit. Paris-Bruxelles.

RADIGUET, par Keith Goesch. *Avant-propos.* La Palatine, Paris-Genève.

MATISSE. *Livres de France* nº 8, octobre, Paris.

LE DERNIER QUART D'HEURE DE... Ouvrage collectif, propos recueillis par Pierre Lhoste. Éd. de la Table Ronde.

PABLO PICASSO. Dans *L'œuvre gravé de P. Picasso,* Musée Rath, Genève. P. Cailler, Genève.

1956. ADIEU A MISTINGUETT. Coll. « Brimborions », 38, Éd. Dynamo, Liège.

DISCOURS DE STRASBOURG (Message composé pour l'Assemblée générale de la Société des Écrivains d'Alsace et de Lorraine, 22 janvier 1956). Imprimerie de la S. M. E. I. Metz.

DISCOURS D'OXFORD (prononcé à Oxford, le 12 juin 1956). Gallimard.

POÈMES 1916-1955. Gallimard.
Contient des extraits de : *Discours du grand sommeil ; Vocabulaire ; Plain-Chant ; Opéra ; Allégories ; Léone ; La Crucifixion ; Neiges ; Un ami dort ; Le Chiffre sept; Clair-Obscur.*

1957. LA CORRIDA DU 1er MAI. Grasset.

ENTRETIENS SUR LE MUSÉE DE DRESDE. Avec Louis Aragon. Éd. du Cercle d'art, Paris.

THÉÂTRE. *Illustré par l'auteur de dessins et de 40 lithographies en couleurs.* 2 volumes. Grasset.
(Le tome II contient plusieurs inédits : *L'Épouse injustement soupçonnée,* d'après un drame annamite extrait du *Livre des légendes ; Œdipus rex ; Le Jeune Homme*

et la Mort ; *La Dame à la licorne*, arguments scéniques et chorégraphiques.)

LA CHAPELLE SAINT-PIERRE, VILLEFRANCHE-SUR-MER (Guide sentimental et technique à l'usage des visiteurs). Éd. du Rocher, Monaco.

OPIUM. Journal d'une désintoxication. Dessins de l'auteur. *Avant-propos* de Léon Pierre-Quint. Club Français du Livre. Paris.

1958. PARAPROSODIES précédées de 7 dialogues. Poèmes. Éd. du Rocher, Monaco.

L'AUTRE MONDE. Coll. « Poèmes missives ». Vincensini, éd. Loriani-San Lorenzo, Corse.

LA BELLE ET LA BÊTE. *Journal d'un film.* Éd. du Rocher, Monaco.

LA CHAPELLE DE VILLEFRANCHE-SUR-MER. *Avec 9 lithographies originales de J. Cocteau.* F. Mourlot, édit., Paris.

> MODIGLIANI, par F. Russoli. *Préface.* Silvana, édit., Milan.

> LA PRINCESSE DE CLÈVES. *Préface.* Nelson, édit., Paris.

LA DIFFICULTÉ D'ÊTRE. Nouvelle édition revue. Éd. du Rocher, Monaco.

DEVENIR, OU L'ÂME EXQUISE DE ROGER MARTIN DU GARD, in *Hommage* à R. Martin du Gard, N. R. F.

LA SALLE DES MARIAGES DE LA MAIRIE DE MENTON (Album guide). Éd. du Rocher, Monaco.

1959. GONDOLE DES MORTS. Poèmes. *Ill. par l'auteur.* All'Insegna del Pesce d'Oro, Milan.

JEAN MARAIS : L'ACTEUR POÈTE. 21 photos de Thérèse Le Prat. Hoeppner Verlag, Hambourg.

POÉSIE CRITIQUE I. Gallimard.

Cet ouvrage contient : *Préface au passé ; Le Secret professionnel ; D'un ordre considéré comme une anarchie ; Apollinaire ; Picasso ; Max Jacob ; Marcel Proust ; Raymond Roussel ; Jean Desbordes ; Essai de critique indirecte ; Le mythe du Greco ; Paul Verlaine, place du Panthéon ; Gide vivant ; Jean Marais ; La légende de sainte Ursule* (inédit) ; *Modigliani ; Bernard Buffet* (inédit) ; *La Princesse de Clèves ; Jean-Jacques Rousseau.*

VINGT ET UN VISAGES D'ARTISTES, par Michel Sima. *Préface.* Fernand Nathan.

OPÉRA. *Œuvres poétiques 1925-1927.* Édition nouvelle ornée de huit dessins de l'auteur. Préface inédite. Stock.

1960. NOUVEAU THÉÂTRE DE POCHE. *Illustré par l'auteur.* Avec des inédits. Éd. du Rocher, Monaco.

POÉSIE CRITIQUE II. MONOLOGUES. Gallimard.

Cet ouvrage contient : *Démarche d'un poète ; Lettre à Jacques Maritain ; Lettre aux Américains ; Discours de réception à l'Académie royale de Belgique ; Discours de réception à l'Académie française ; Discours d'Oxford ; Discours sur la Poésie ; Les Armes secrètes de la France.*

LE TESTAMENT D'ORPHÉE. *Film de Jean Cocteau.* Contient : le scénario, des textes inédits, et un album des photos du film. Éd. du Rocher, Monaco.

CHAPELLE SAINT-BLAISE-DES-SIMPLES, MILLY-LA-FORÊT. *Guide à l'usage des visiteurs.* Éd. du Rocher. Monaco.

1961. CÉRÉMONIAL ESPAGNOL DU PHÉNIX, suivi de LA PARTIE D'ÉCHECS. Poèmes. Gallimard.

LA PRINCESSE DE CLÈVES. Adaptation et dialogues du film de Jean Delannoy. *L'Avant-Scène du Cinéma,* nº 3, avril 1961.

SALUT DE PRINCE. HOMMAGE A SAVINIO. TESTAMENT D'ORPHÉE. Avec *Nell' antro di Orfeo* par Alberto Savinio. All'insegna del Pesce d'Oro, Milan.

1962. LE CORDON OMBILICAL ; *Souvenirs. Ill. par l'auteur.* Plon.

DISCOURS A L'ACADÉMIE ROYALE DE BELGIQUE (Commémoration Maeterlinck). Coll. « Brimborions », 99. Éd. Dynamo, Liège.

PICASSO 1916-1961. Avec 24 lithographies de Picasso. Éd. du Rocher, Monaco.

LE REQUIEM. Poème. Gallimard.

L'IMPROMPTU DU PALAIS-ROYAL (Comédie-Française, Tokyo, 1er mai 1962). Gallimard.

1963. LA COMTESSE DE NOAILLES OUI ET NON. *Illustrations de l'auteur.* Librairie académique Perrin, Paris.

CHEFS-D'ŒUVRE DE L'ART. Tome I. *Présentation.* Hachette.

LA CUISINE EST UN JEU D'ENFANTS, par Michel Oliver. *Préface.* Plon.

LA MÉSANGÈRE. Textes présentés par Jean Cocteau. Lithographies en couleurs par Léonard Foujita. De Tartas, Paris.

NÚMERO UNO. ANTONIO ORDONEZ. Photographies de Lucien Clergue. *Préface.* Éd. Forces vives, Paris.

LE PÈSE-TAUREAU, par Jean-Marie Magnan. *Illustrations par J. Cocteau.* Éd. Forces vives.

LES ENFANTS TERRIBLES. Coll. B. 24 18. Hachette.

LA DIFFICULTÉ D'ÊTRE. Coll. « Le Monde en 10/18 », 164. Union générale d'Éditions.

1964. PORTRAIT-SOUVENIR. Entretien avec Roger Stéphane. Librairie Jules Tallandier.

RECETTES POUR UN AMI, par Raymond Oliver. *Préface et illustrations par Jean Cocteau.* Galerie Jean Giraudoux.

LE GRAND ÉCART. Coll. La Petite Ourse, 56. La Guilde du Livre, Lausanne.

LETTRE A JACQUES MARITAIN. Et Jacques Maritain, *Réponse à Jean Cocteau.* Stock.

CATALOGUE DE L'EXPOSITION LUCIEN CLERGUE. Textes et poèmes pour Lucien Clergue. Musée de Lunéville.

MAISON DE POUPÉE. LES REVENANTS, par Henrik Ibsen. *Préface.* Coll. « Le Livre de poche », 1311. Hachette.

FIL D'ARIANE POUR LA POÉSIE, par Robert Goffin. *Lettre-préface.* Nizet, Paris.

SERAJEVO, par Blaise Cendrars. *Dessin de Jean Cocteau.* Publications du théâtre universitaire, Marseille.

ENVOLS, par Jacques F. Ormond. *Préface.* Éd. du Chêne, Paris.

1965. ENTRETIENS AVEC ANDRÉ FRAIGNEAU. Préface de Pierre de Boisdeffre. Coll. « Le Monde en 10/18 ». Union générale d'Éditions.

TAUREAUX, par Jean-Marie Magnan. *Avec 32 lithographies de Jean Cocteau.* Trinckvel, Paris.

PÉGASE. Poèmes. Avec 10 burins de Léopold Survage. Nouveau Cercle parisien du Livre.

LE DÉCOR DE THÉÂTRE DANS LE MONDE DEPUIS 1935. *Dessin-préface* de Jean Cocteau. Meddens, Bruxelles.

NOUVEAUX FATRAS, par Alain-Valery Aelberts. *Poèmes-lettres* de Jean Cocteau. Coll. « Brimborions », Éd. Dynamo, Liège.

THOMAS L'IMPOSTEUR. Coll. Soleil, 169. Gallimard.

1966. HISTOIRE DU ROMAN POLICIER, par Fereydoun Hoveyda. *Avant-propos.* Éd. du Pavillon, Paris.

LE THÉÂTRE DES ORIGINES A NOS JOURS, par Léon Moussinac. *Préface.* Flammarion.

1967. PAUL ET VIRGINIE. Livret d'opéra-comique en trois actes de Jean Cocteau et Raymond Radiguet (texte de 1920). In Raymond Radiguet, *Gli inediti,* Ugo Guanda, Parme.

LE CAP DE BONNE-ESPÉRANCE. DISCOURS DU GRAND SOMMEIL. Préface par Jacques Brosse. Coll. « Poésie N. R. F. », Gallimard.

ENTRE PICASSO ET RADIGUET. Présentation par André Fermigier. Coll. « Miroirs de l'Art », 20. Hermann, Paris.

OPÉRA. DES MOTS. DE MON STYLE. Coll. « Le Livre de chevet », Tchou, Paris.

LE BAL DU COMTE D'ORGEL, par Raymond Radiguet. *Préface.* Coll. « Diamant ». Grasset.

PAGES CHOISIES. Notices par Robert Prat. Coll. « Classiques illustrés Vaubourdolle », 103. Hachette.

1968. LE TEMPLE TAUROMACHIQUE, par Jean-Marie Magnan. *Dessin par Jean Cocteau.* Photographies

par Lucien Clergue. Avant-propos de Claude
Popelin. Seghers.

FAIRE-PART. Poèmes inédits 1920-1962. Édition éta-
blie par Pierre Chanel. Préface par Claude-Michel
Cluny. Coll. Poésie-Club. Guy Chambelland. Librairie
Saint-Germain-des-Prés, Paris.

1969. FAIRE-PART. Avant-propos par Jean Marais. Préface
par Claude-Michel Cluny. Dessin par Raymond
Moretti. Coll. Poésie I. Librairie Saint-Germain-des-
Prés, Paris.

POÈMES INÉDITS ET LETTRES A SA MÈRE ; In *Cahiers
Jean Cocteau I*, novembre 1969. Gallimard.

Ouvrages publiés dans le Livre de Poche :

LES PARENTS TERRIBLES.
LES ENFANTS TERRIBLES.
LA MACHINE INFERNALE.
THOMAS L'IMPOSTEUR.
OPÉRA, suivi de PLAIN-CHANT.
L'AIGLE À DEUX TÊTES.

B. PRINCIPAUX OUVRAGES CONSACRÉS
À JEAN COCTEAU

1928. *J'adore*, par Jean Desbordes, Grasset.
Une querelle sur l'amour, par Julien Lanoë, La Ligne
de Cœur, Nantes.

1945. *Jean Cocteau*, par Roger Lannes, *Poètes d'aujourd'hui*,
P. Seghers.
Jean Cocteau ou la Vérité du mensonge, par Claude
Mauriac, Odette Lieutier.

1950. Max Jacob, *Lettres à Jean Cocteau*. P. Morihien.
Revue *Empreintes*, nos 7-8, mai-juin-juillet 1950,
Bruxelles.

1952. *L'Étoile de Jean Cocteau*, par Jean-Pierre Millecam,
Éd. du Rocher, Monaco.

1954. *Dramaturgie de Jean Cocteau*, par Pierre Dubourg, Grasset.

1955. *Jean Cocteau*, par Margaret Crosland, Peter Nevil, Londres.

1956. *Jean Cocteau chez les sirènes*, par Jean Dauven, préface et notes de Jean Cocteau, illustrations de Picasso, Éd. du Rocher, Monaco.
   Zwischen Stern und Spiegel : Jean Cocteau als Zeichner (Entre l'étoile et le miroir : Jean Cocteau dessinateur) par Friedrich Hagen. W. Anderman, Munich-Vienne.

1957. *Cocteau par lui-même*, par André Fraigneau. Écrivains de toujours, Éd. du Seuil.
   Images de Cocteau, préface de Georges Noël, Matarasso, Nice.

1958. *Jean Cocteau oder Die Poesie in Film*, par Karl-Günter Simon, Rembrandt-Verlag, Berlin.

1959. *Méditerranée ou les deux visages de Jean Cocteau*, par Micheline Meunier, Debresse.

1960. *Cocteau*, par Jean-Jacques Kihm, *Bibliothèque idéale*, Gallimard.
   Jean Cocteau tourne son dernier film, par Roger Pillaudin, Éd. de la Table Ronde.
   Catalogue de l'Exposition Jean Cocteau, par Pierre Chanle. Notes de Jean Cocteau. Musée des Beaux-Arts, Nancy.

1961. Revue *Points et Contrepoints* (octobre).
   Leben und Werk des Jean Cocteau (Vie et Œuvre de J. C.) par Friedrich Hagen Kurt Desch, Vienne-Munich, Bâle.

1963. *De Radiguet à Maritain. Hommage à Cocteau*, par Henri Massis. Avec un portrait inédit de Radiguet par Cocteau, Coll. « Brimborions », 117. Éd. Dynamo, Liège.

1964. *Jean Cocteau*, par René Gilson (*Cinéma d'aujourd'hui*, P. Seghers).
   Présence de Jean Cocteau, par Micheline Meunier, Vitte, Lyon.
   Jean Cocteau, l'amitié faite homme, par Marcel Jou-

handeau. Coll. « Brimborions », 120. Éd. Dynamo, Liège.

Jean Cocteau ou l'illustre inconnu, par Georges Sion, Coll. « Brimborions », 123. Éd. Dynamo, Liège.

Jean Cocteau, par Marcel de Grève (Rotary Club, Anvers).

1965. *Jean Cocteau*, par Gérard Mourgue. Classiques du xxe siècle, Éd. Universitaires.

Jean Cocteau et son temps, catalogue par Pierre Georgel. Musée Jacquemart-André.

Jean Cocteau portraitiste, catalogue par Pierre Chanel. Musée de Lunéville.

1966. *Les Précieux*, par Bernard Faÿ. Librairie académique Perrin.

Revue *L'Avant-Scène du Théâtre*, spécial Cocteau (n° 365-366).

Cocteau, par Claude Beylie. Coll. « Anthologie du Cinéma » n° 12.

Supplément à *L'Avant-Scène du cinéma*, n° 56, février 1966.

1967. *Jean Cocteau. Entre Picasso et Radiguet.* Présentation par André Fermigier. Coll. « Miroirs de l'Art », 20, Hermann.

1968. *Jean Cocteau : The Man and the Mirror*, par Elizabeth Sprigge et Jean-Jacques Kihm, Gollancz, Londres, Coward-McCann, New York.

Cocteau, par Jean-Marie Magnan. Coll. « Les Ecrivains devant Dieu », Desclée de Brouwer, Paris.

Jean Cocteau, l'homme et les miroirs, par Jean-Jacques Kihm, Elizabeth Sprigge et Henri C. Behar. Coll. « Les Vies perpendiculaires », La Table Ronde.

Cocteau, Dieu, la mort, la poésie, par Clément Borgal. Coll. « Œuvres et Pensée », Éd. du Centurion.

An Impersonation of Angels. A Biography of Jean Cocteau, par Frederick Brown, The Viking Press, New York.

Jean Cocteau : écriture et plastique, inédits, catalogue, par Pierre Chanel.

1969. *Mémorial Jean Cocteau. 1921-1963. La Revue de Belles-Lettres* nᵒˢ 1 et 2. Lausanne-Genève.
Cahiers Jean Cocteau 1, Gallimard.

II. LES FILMS

1930. LE SANG D'UN POÈTE. Film de Jean Cocteau. Musique : Georges Auric. Décors : Jean-Gabriel d'Eaubonne. Opérateur : Périnal. Avec Lee Miller, Pauline Carton, Odette Talazac, Enrique Rivero, Jean Desbordes, Fernand Dichamps, Lucien Jager, Féral Benga, Barbette.
(Scénario illustré de 50 photographies. Éd. du Rocher, 1948 ; Scénario avec 12 dessins de l'auteur. Éd. du Rocher, Monaco, 1957.)

1943. LE BARON FANTÔME. Film de Serge de Poligny. Dialogues de Jean Cocteau qui y joue le rôle du baron fantôme.

1943. L'ÉTERNEL RETOUR. Film de Jean Delannoy. Scénario et dialogues de Jean Cocteau. Musique : Georges Auric ; Images Roger Hubert ; Directeur de production : Émile Darbon ; Production : André Paulvé. Avec Madeleine Sologne, Jean Marais, Junie Astor, Jean Murat, Roland Toutain, Piéral, Jeanne Marken, Jean d'Yd, Alexandre Rignault, Yvonne de Bray.
(Scénario illustré de photographies, Nouvelles éditions françaises, 1948.)

1945. LA BELLE ET LA BÊTE. Film de Jean Cocteau. Musique : Georges Auric ; Costumes : Christian Bérard ; Décors : Moulaert ; Assistant : René Clément ; Images : Alekan ; Production : André Paulvé. Avec Josette Day, Jean Marais, Mila Parély, Nane Germon, Michel Auclair, Marcel André.
(Voir *La Belle et la Bête. Journal d'un film* et Album du film. Éd. du Pré-aux-clercs.)

1945. LES DAMES DU BOIS DE BOULOGNE. Film de Robert Bresson. Dialogues de Jean Cocteau (publiés in *Cahiers du cinéma*, nos 75, 76, 77, octobre, novembre, décembre 1957.

1947. RUY BLAS. Film de Pierre Billon. Scénario ; adaptation et dialogues de Jean Cocteau.
(Texte de l'adaptation. Paul Morihien, 1947.)

1947. L'AIGLE À DEUX TÊTES. Film de Jean Cocteau. Musique : Georges Auric ; Direction artistique : Christian Bérard ; Collaboration technique : H. Bromberger ; Opérateurs : Christian Matras, Douarinou ; Décoration : Wakhevitch, Morin ; Costumes : Escoffier, Zay, Bataille ; Photographies : Raymond Voinquel ; Production : Ariane films, Sirius. Avec Edwige Feuillère, Jean Marais, Jean Debucourt, Sylvia Monfort, Jacques Varennes, G. Quéant, Abdallah, M. Mazyl, E. Stirling, Yvonne de Bray.

1948. LES PARENTS TERRIBLES. Film de Jean Cocteau. Direction artistique : Christian Bérard ; Musique : Georges Auric ; Photographies : Michel Kelber ; Décors : Guy de Gastyne ; Assistant, réalisation et montage : Raymond Leboursier ; Opérateur : Tiquet ; Photographe : Corbeau ; Montage : Jacqueline Sadoul ; Production : Alexandre Nouchkine et Francis Cosne. Avec Josette Day, Jean Marais, Yvonne de Bray, Marcel André, Gabrielle Dorziat.

1948. LES NOCES DE SABLE. Film d'André Swoboda. Commentaire écrit et dit par Jean Cocteau.

1948. LA LÉGENDE DE SAINTE URSULE (Leggenda di s. Orsola). Film de Luciano Emer, d'après les Carpaccio de Venise. Commentaire de Jean Cocteau (publié dans *Poésie Critique I*).

1949. ORPHÉE. Film de Jean Cocteau. Musique : Georges Auric ; Directeur de la photographie : Nicolas Hayer ; Décors : d'Eaubonne ; Costumes : Escoffier ; Production : André Paulvé. Avec Maria Casarès, Jean Marais, François Périer, Marie Dea, Henri Crémieux, Édouard Dermit, Pierre Bertin, Jacques Varennes.

1950. LES ENFANTS TERRIBLES. Film de Melville d'après le roman de Jean Cocteau, lequel participa au tournage.

1951. LE ROSSIGNOL DE L'EMPEREUR DE CHINE. Film de marionnettes de Trnka. Commentaire écrit et dit par Jean Cocteau.

1952. LA VILLA SANTO-SOSPIR. Film en Kodachrome 16 mm de Jean Cocteau.

1954. UNE MÉLODIE, CINQ PEINTRES. Court-métrage de Hergert Seggelk. Avec E.-W. May (Allemagne), Hans Erni (Suisse), Severini (Italie) et Jean Cocteau (France).

1957. A L'AUBE DU MONDE. Court-métrage de René Lucot. Commentaire de Jean Cocteau.

1958. LE MUSÉE GRÉVIN. Film de Jean Masson, mis en images par Jacques Demy. Séquence improvisée par Jean Cocteau qui dialogue avec son double en cire installé à une table de travail en face de lui.

1959. LE TESTAMENT D'ORPHÉE. Film de Jean Cocteau. Collaborateur technique : Claude Pinoteau ; Directeur de la photographie : Roland Pontoizeau ; Costumes et sculptures : Janine Janet ; Décors : Pierre Guffroy; Chef-monteuse : Marie-Josèphe Yoyotte ; Ingénieurs du son : Pierre Bertrand et René Sarazin ; Photographe : Yves Mirkine ; Production : Jean Thuillier pour les Éditions cinégraphiques.
Avec Jean Cocteau, Jean-Pierre Léaud, Nicole Courcel, Henri Crémieux, Daniel Gélin, Édouard Dermit, Maître Henry Torrès, Maria Casarès, François Périer, Mme Alec Weisweiller, Yul Brynner, Pablo Picasso, Luis-Miguel Dominguin, Charles Aznavour, Serge Lifar, Jean Marais.
(Scénario, textes inédits, et album des photos du film. Éd. du Rocher, Monaco, 1960.)

1961. LA PRINCESSE DE CLÈVES. Film de Jean Delannoy. Adaptation et dialogues de Jean Cocteau.

1965. THOMAS L'IMPOSTEUR. Film de Georges Franju. Adaptation de Jean Cocteau, Michel Worms et Georges Franju.

III. BALLETS ET MIMODRAMES

1912. LE DIEU BLEU. Ballet de Jean Cocteau et Frédric de
Madrazo. Musique de Reynaldo Hahn ; Décors et
costumes de Léon Bakst ; Chorégraphie de Michel
Fokine ; Création au Théâtre des Champs-Élysées,
juin 1912 (Éd. Heugel, Paris, 1911). Ce ballet a été
rayé par Jean Cocteau de ses *Œuvres complètes*.

1917. PARADE. Ballet de Jean Cocteau. Musique d'Erik
Satie. Décors et costumes réalisés avec la collaboration
de Picasso. Chorégraphie de Léonide Massine. Créé au
Théâtre des Champs-Élysées, le 18 mai 1917. Publié
dans *Théâtre de poche*.

1920. LE BŒUF SUR LE TOIT OU « THE NOTHING DOING BAR ».
Farce de Jean Cocteau. Musique de Darius Milhaud.
Décors de Raoul Dufy ; Costumes de G.-P. Fauconnet ;
Mouvements réglés par l'auteur ; Créé à la Comédie
des Champs-Élysées, le 21 février 1920 et au Coliseum
de Londres, le 12 juillet 1920. Texte publié dans
Théâtre de poche.

1924. LE TRAIN BLEU. Opérette dansée de Jean Cocteau.
Musique de Darius Milhaud ; Décors et costumes
d'Henri Laurens ; Chorégraphie de Mme Nijinska.
Créé au Théâtre des Champs-Élysées, le 20 juin 1924
(Éd. Heugel).

1946. LE JEUNE HOMME ET LA MORT. Mimodrame de Jean
Cocteau. Décors de Wakhevitch ; Costumes de
Mme Karinska et Christian Bérard ; Chorégraphie de
Roland Petit ; Créé au Théâtre des Champs-Élysées, le
25 juin 1946. Publié dans *Paris-Théâtre* n⁰ 89 et dans
La Difficulté d'être, « D'un mimodrame ».

1950. PHÈDRE. Ballet de Jean Cocteau. Musique de Georges
Auric ; Décors et costumes de Jean Cocteau ; Chorégraphie de Serge Lifar. Créé au Théâtre national de
l'Opéra, le 14 juin 1950.

1952. ŒDIPUS REX. Décors, costumes, masques et mouve-
ments de Jean Cocteau ; Musique d'Igor Stravinski.
Créé au Théâtre des Champs-Élysées, le 14 juin
1952.
(Description du spectacle dans *Journal d'un inconnu*,
« D'un oratorio ».)

1953. LA DAME A LA LICORNE. Ballet de Jean Cocteau;
Musique du XVIe siècle ; arrangement de Jacques
Chailley ; Décors et costumes de Jean Cocteau ; Cho-
régraphie de Heinz Rosen. Créé au Gartner Theater,
Munich, le 9 mai 1953 et au Théâtre national de
l'Opéra, Paris, le 28 janvier 1959.

1959. LE POÈTE ET SA MUSE. Scénario et décors de Jean Cocteau ; Musique de Gian-Carlo Menotti. Créé au Festival de Spolète, juin 1959.

IV. PEINTURES MURALES
ET DÉCORATION

1932. Jean Cocteau décore les murs de la « Villa Blanche »
appartenant aux Bourdet, à Tamaris.

1950. A partir de 1950, il commence la décoration des murs
de la Villa « Santo-Sospir », appartenant à Mme Alec
Weisweiller, et qu'il habite.

1956-57. Décoration de la chapelle Saint-Pierre, à Villefranche.

1957. Décoration de la salle des mariages de la mairie de
Menton.

1958. Il peint deux panneaux décoratifs : *Hommage aux
savants* et *La Conquête de l'inconnu* pour l'Exposition
Terre et Cosmos, à Paris (juin 1958).

1959. Décoration de la chapelle Saint-Blaise-des-Simples
à Milly-la-Forêt.
Décoration de la chapelle de la Vierge de l'église Notre-
Dame de France, à Londres.

1962. Décoration du Théâtre en plein air à Cap-d'Ail. Cartons pour les vitraux de l'église Saint-Maximin de Metz.

V. LA VOIX DE JEAN COCTEAU

(Principaux enregistrements)

A. ENREGISTREMENTS CONSERVÉS PAR LA PHONOTHÈQUE CENTRALE DE L'O.R.T.F.

1943. 11 novembre : Causerie sur Raymond Radiguet.

1947. 3 janvier : Jean Cocteau lit quelques notes sur *L'Aigle à deux têtes* et *Souvenirs du Nouveau-Cirque*.

29 janvier : Jean Cocteau présente *La Voix humaine*, jouée par Berthe Bovy.

17 mars : Présentation du ballet *Le Jeune Homme et la Mort*.

1949. 20 février : Témoignage de Jean Cocteau dans *Hommage à Christian Bérard*.

31 décembre : Interview sur les films *Orphée* et *Les Enfants terribles*.

1950. Interview sur le film *Orphée*.

23 février : Témoignage sur Christian Bérard.

21 mars : Causerie avec Georges Ribemont-Dessaigne sur la poésie.

28 novembre : J. C. parle du lycée Condorcet, dans l'émission « Potaches et labadens ».

1951. 26 janvier-28 mars : *Entretiens avec Jean Cocteau* par André Fraigneau (v. Bibliographie, 1965, p. 238).

20 décembre : Interview avant la première de *Bacchus*.

1954. 22 janvier : Interview sur la reprise de *La Machine infernale* à Lyon.

1955. 1er janvier : « Clair-Obscur », émission d'André Fraigneau avec Jean Cocteau qui y lit quelques poèmes.

18 octobre : Interview de Jean Cocteau dans l'émission de Pierre Lhoste « Tels qu'en eux-mêmes ».

20 octobre : Reportage complet de la réception de Jean Cocteau à l'Académie française, comportant son discours et la réponse d'André Maurois.

25 octobre : Discours de réception de Jean Cocteau à l'Académie royale de Belgique.

1956. 21 juin : Interview de Jean Cocteau à propos du livre de Jean Dauven, *Jean Cocteau chez les sirènes*.

6 août : Émission de Robert Mallet avec Jean Cocteau : « *Le Grand Écart*, avant-garde et tradition ».

1957. 14 janvier : interview de Jean Cocteau sur la décoration de la chapelle Saint-Pierre de Villefranche.

1958. 20 septembre, transmission de *Les Armes secrètes de la France*, discours prononcé à l'auditorium du Pavillon français à l'Exposition universelle de Bruxelles.

1959. Septembre : interview de Jean Cocteau, au cours de l'émission sur *Le Testament d'Orphée*, par Roger Pillaudin.

B. ENREGISTREMENTS COMMERCIAUX

Le Théâtre de Jean Cocteau ; Trois Poèmes : (*Les Mauvais Élèves, Le Modèle des dormeurs, Le Camarade*), dits par l'auteur. (78 tours, Columbia.)

Trois Poèmes (*Le Pigeon terreur, A l'encre bleue, Martingale, Le Buste, Le Théâtre grec, No man's land*), dits par l'auteur. (78 t. Columbia.)

Les Voleurs d'enfants ; La Toison d'or, dits par l'auteur. (78 t Columbia.)

Le Fils de l'air ; Discours du Sphinx, dits par l'auteur et Jean-Pierre Aumont. (78 t. Columbia.)

Jean Cocteau dit *Plain-Chant* (« L'Encyclopédie sonore », Ducretet-Thomson, 78 t. 25 cm, n° 6002).

Jean Cocteau (« Leur œuvre et leur voix », Festival, 78 t., 30 cm AF 107 et 108).

Poèmes de Jean Cocteau, dits par l'auteur (La Voix de son maître, 33 tours, 25 cm, FFLP 1048).

Discours de réception à l'Académie française (La Voix de son maître, 33 t., 30 cm, FELP 143).

Colette, discours de réception à l'Académie royale de langue et de littérature française de Belgique (Ducretet-Thomson, 33 t., 30 cm, 300 v 078).

L'Individualiste, dit par l'auteur. *Un ami dort*, dit par Serge Reggiani (45 cm Philips, Medium 432985 BE).

Jean Cocteau : texte inédit, dit par l'auteur. *Un ami dort*, dit par Serge Reggiani. *Bacchus*, scènes interprétées par Jean-Louis Barrault et Jean Desailly (Philips, 33 t., 30cm, P 76 715 R).

Œdipus rex. Orchestre de la radio de Cologne sous la direction d'Igor Stravinski. Récitant : Jean Cocteau, avec Peter Pears, Martha Mode, Heinz Rehfuss et Helmut Krebs (Philips, 33 t., 30 cm, A 10137 L).

VI. ŒUVRES ENREGISTRÉES

Anna la bonne ; La Dame de Monte-Carlo, dits par Marianne Oswald (Columbia, 33 t., 25 cm, F 1026).

La Voix humaine, par Berthe Bovy (Columbia, 78 t. 30 cm, DFX 40 et 41).

La Voix humaine, par Gaby Morlay (Decca, 33 t., 30 cm, FMT 163622).

La Voix humaine, par Berthe Bovy (Pathé, 33 t., 30 cm, DTX 288).

La Voix humaine, par Simone Signoret (Jacques Canetti, distrib. Polydor, 33 t., 30 cm Médium 48802).

Le Bel Indifférent, par Édith Piaf (La Voix de son maître, 33 t., 25 cm, FS 1021).

Les Mariés de la tour Eiffel, par Jean Le Poulain, Jacques Charron et l'auteur, musique originale de Pierre-Philippe (La Voix de son maître, 33 t., 25 cm, FBLP 1096).

Jean Cocteau (« Auteurs du xxᵉ siècle », 5, Philips, 33 t., 25 cm, A 76715).

Jean Cocteau, poèmes dits par Jean Mercure (Disques Véga
   et Éditions Pierre Seghers, « Poètes d'aujourd'hui », 33 t.,
   25 cm, P 37 A 4007).

Le Pauvre Matelot, interprété par l'orchestre de l'Opéra de
   Paris, sous la direction de Darius Milhaud, avec Jacque-
   line Brumaire, Jean Giraudeau, Xavier Depraz et André
   Vessières (Véga, 33 t. ; 30 cm, C 30 A 69).

ACHEVÉ D'IMPRIMER LE
10 SEPTEMBRE 1970 SUR LES
PRESSES DE L'IMPRIMERIE
BUSSIÈRE, SAINT-AMAND (CHER)

— N° d'édit. 15255. — N° d'imp. 635. —
Dépôt légal : 3ᵉ trimestre 1970.

Imprimé en France

J. Beayouan
2, rue Georges Milandy
92 360 · Meudon-La Forêt